はじめにお断りしておきます。この本は、学校や職場でモテるコツや、生きやすくなるヒントが書いてあるわけではないし、ましてや株の上手な運用方法など、お金が儲《もう》かる仕組みには触れていません。ついでに書くと、読み進めていくうち真理が待ち受けているわけでもありません。

夜長に淡々と、お酒でもちょっと飲みながら、寝る前に読むための本です。寝る前の読書は、人に対してカッコつける必要がない、人生でいちばん楽しい読書なので。

何年かに一度会う腐れ縁の友と、だらだらダベる感じで読んで下さい。本書はそこはかとない感情と恥部の詰め合わせです。センチメンタルな自分語りが多くて恐縮です。

I thought Oe Senri and Watanabe Misato would get married

Higuchi Takehiro

大江千里と渡辺美里って結婚するんだとばかり思ってた

昭和40年代男子の思い出エッセイ

樋口毅宏

交通新聞社

ウルトラマン、ガンダム、ドリフ、スターウォーズ、ゾンビ、ドラクエ、ジャンプ、サザン、お笑いビッグ3など、世代が移り変わっても、依然影響力を持つカルチャーを決めてきたのは、昭和40～50年代に生まれてきた人たちでした。ノスタルジーに浸かるのはそこそこに、私的な考察も織り交ぜています。

あと、文中は基本的に敬称略で。本人を前にしたら「さん付け」になりますが、俎に上げた方たちはファン目線のため。無礼失礼。

あとあと、固有名詞にいちいち説明キャプションを付けないので各自検索して下さいませ。

著者より。

＊ 本書は月刊『散歩の達人』に連載された「失われた東京を求めて」(2016年7月号〜2020年2月号)に、加筆修正したものです。
施設や店舗、アーティストの活動状況は連載時のものになります。掲載時期はそれぞれの末尾に記載しています。

vol.1

映画マニアはなぜ潰れた映画館の話を嬉しそうに語るのか

はじめまして、樋口毅宏です。訳あって44年間生まれ育った東京を離れて京都に暮らしています。小説家を名乗っていますが、最近は生後半年の赤ん坊の面倒を見ることが本職になっています。オムツを替えてミルクをあげて寝かし付けた後に、洗濯や風呂掃除、買い出しなどの家事をこなしています。

夜は大黒柱である妻の世話があります。弁護士業という、私めのような売文稼業には想像も付かない激務から解放された賢妻をサポートさせて頂いております。いつの日か、ふたりの御主人様に仕える奴隷から、人間に昇格したいと願う日々です。妻のシャツのボタンを縫い止める針仕事から束の間手を休めると、ふと東京で過ごした日々が思い出されます。

「ああ、子供の頃は自由で好き勝手にしていたなあ」

１９７１（昭和46）年生まれの東京男子なら、好きなチームはジャイアンツ。趣味は切手とチラシ集め。それに何と言っても映画鑑賞と相場が決まっていました。

当時の子供にとって映画館に行って映画を観ることは、いちばん身近で最高の娯楽でした。目を閉じなくても思い出されます。池袋駅東口を出て左側に映画館がずらりと並びます。まずは池袋東急（ここで観た映画でもっとも印象強いのは、何と言っても『E.T.』）、地下のポルノ専門映画館（なのになぜか『ウルトラマンZOFFY ウルトラの戦士VS大怪獣軍団』を上映したことがある）、池袋スカラ座（超満員のためタイムスケジュールを早めて上映した『エイリアン2』。ガラガラの『ターミネーター』。朝帰りした父親が償いに連れて行ってくれた『ブッシュマン』。行列に並んでいたら前売り券をパクられた『キャノンボール2』）、池袋日勝、日勝地下（ジャッキー・チェンの3本立てならここ。すっごくボロい映画館で、スクリーンをゴキブリが横切っていった）。

サンシャイン通りには池袋東映。これを言うと驚かれるのですが、ロビーに大人のおもちゃの自販機がありました。当時の映画館は、ちょっといかがわしいのが当たり前で、背伸びをして通う場所でした。

その先の通りには池袋テアトルダイヤ。ホームシアターぐらいの大きさのスクリーンで『プロジェクトA』を2回観ました。池袋東宝と地下の映画館。伝説の作品『幻の湖』を先にパンフだけ買って、その後すぐに返品したことを覚えています。惜しいことをしました。

南口には池袋松竹。『ガンダム』以外で小学生が足を踏み入れることはなかった。

そして小学五年生のとき、生まれて初めてひとりで観に行った池袋テアトルシネマ。『キャノンボール』と『エンドレス・ラブ』の2本立てで、2回ずつ観ました。伊丹十三の『お葬式』もここだったなあ。

当時、池袋では掛からない映画がわりとあったので、新宿までよく足を運んだものです。『トッツイー』『ナチュラル』『バック・トゥ・ザ・フューチャー』『トワイライト・ゾーン』『ダーティハリー4』『愛と追憶の日々』などなど。

中でも鮮明に覚えているのが新宿東急で観た『ロッキー3』。脳みそを使うことなく観られるこの大作のために、大蛇のごとくぐるりと映画館を一周するほど多くのお客さんが並びました。11歳の僕は前列のカップル（当時はアベックと呼んだ）に、「パンフレットを買ったから、帰りは池袋まで歩いて帰る」と話したら、同情した男が200円をくれました。僕は礼を言って、映画館に入ると同時にジュースを買いました。いい思い出です。

大人になってからは池袋の文芸坐、高田馬場の東映パレス、中野の武蔵野ホール、千石の三百人劇場（ここの川島雄三特集で伝説の怪作『グラマ島の誘惑』を観た）などに足を運んだものです。

しかし、残念ながらこれらの映画館は文芸坐以外、現在はひとつも残っていません。シネコンならまだしも、居酒屋、ＣＤショップ、家電チェーン、ブックオフなど、映画館とはまったく関係のないアミューズメントパークにそれぞれ生まれ変わりました。

嘆いても仕方がありません。日本映画製作者連盟によると、日本人が1年間に映画館で見る映画の本数は1・3本。映画好きの僕ですが、「すべては移ろい消えていくもの」とあきらめております。

あ、それと自分でもわかっていますよ。この手の「消えた映画館」トークになると、口では惜しみながらも、まるで過去のロマンスのように愛惜を唇に乗せていることを。それと「大井武蔵野館には通っていた？　亀有名画座も無くなって久しいねえ」などと、足を踏み入れたことがない映画館の話をされると、ムッとしてしまうことも。

話を戻します。『散歩の達人』編集部から、「むかしの東京について語ってほしい」という依頼がありました。あんたいま京都に住んでいるのに？　そう思う向きもあるでしょう。しかしこんな格言があるではないですか。

「故郷《ふるさと》は遠きにありて思うもの」。

次回より本格的に、樋口毅宏の東京物語、始まります。

ふたりの御主人様が呼ぶ声が聞こえます。今回はここまで。


【２０１６年７月号】

vol.2

武道館を愛していますが何か？

過日、イギリスの伝説的ロックバンド、ストーン・ローゼズを観るために京都から東京へと赴きました。

いやー最高でした。御主人様である妻と生後7ヶ月の赤ん坊に、「この日だけは東京に行かせて下さいませ」と三つ指をついた甲斐《かい》があったというものです。

ローゼズが最高なのは当たり前ですけど、日本武道館というこの国でいちばんの舞台装置のおかげで、ステージに立つ者が一層光り輝きます。

正直なところ、これがほぼ同じキャパでも、代々木体育館や横アリや幕張メッセだったら、足を運んではいないでしょう。「武道館」と聞くと血が騒いでしまう。僕にとって特別な空間です。

おそらく、潜在的に権威主義者なのだと思います。このご時世に「文豪」などと名乗っていますし、趣味も映画とロックなんて、オールドファッションですよね。80年代ロック漫画の名作『TO-Y』で吉川晃司をモデルにしたミュージシャンが「武道館伝説なんてとっくに終わってるでしょ」と断言しようと、おニャン子クラブ時代の渡辺美奈代がデビュー前から武道館でやろうと、それでも僕にとって武道館はスペシャルで、思い入れがありまくります。

詳しい方には今更ですが一応レクチャーすると、武道館は1964年の東京オリンピックで柔道などの武道をやるために作られた大バコで、コンサート会場として初めて使用したのが66年のビートルズ。当時は「日本武道の神聖なる場所を○○に使わせるな！」と抗議運動もあったそうです。

一躍世界に「BUDOKAN」の名を轟《とどろ》かせたのは78年の『チープ・トリック at 武道館』。これが大ヒットすることで、本国アメリカより先に日本で売れたチープ・トリックが逆輸入するかたちになった。それ以降、世界中のロックバンドに「日本に行って武道館でプレイしてみたい！」と思わせることになったと僕なんかは聞いてきました。

えーっと、もうちょっと講釈を垂れてもいいですか？「武道館でライブ」と言っても、大雑把に2種類に分けることができます。

①「成り上がりたい」系。ロックバンドを生業にしている限り、一生に1回はロックの殿

堂でやってみたい。本当は1万人近いキャパでやれるような動員力はないけど、空席を隠す暗幕を増やしてでも敢行する人たち。「え、こんな人たちもやったんだ⁉」というところでは、いんぐりもんぐり、少女隊とか。

近年では中年バンドが顕著で、怒髪天、フラワーカンパニーズなど。来年はコレクターズがあの大舞台に立ちます。

②常打ち系。100回以上やってる永ちゃんと松田聖子。ふたりの次に多いのはクラプトンとアルフィー。

最初は背伸び感覚だったが、ブレイクして武道館が等身大になる人たちもいる。初の武道館を1000円ポッキリ（当時は消費税がない）で強行したレッド・ウォリアーズ。「武道館10DAYS」「15DAYS」のハウンドドッグなど。え、BOØWY時代の氷室の「ライブハウス武道館へようこそ」発言についてどう思うかって？ 僕ラストギグ行くぐらいBOØWY好きだから長くなりますよ。それは稿を改めて述べます。

そもそも人生で初めて観たライブが、中3のときの武道館。TBSラジオ35周年記念企画に当選しました。白井貴子&クレージーボーイズを皮切りに、岡村靖幸のデビューライブ、この日だけの渡辺美里&TMネットワークスペシャルライブを観た。贅沢だなあ。

これまで何回行っただろう？ 思い出せる限り時系列順に挙げていくと、大江千里、ブルーハーツ、レッド・ウォリアーズ2回、オフコース（ファンクラブに入るぐらい好きだった）、ＢＵＣＫ‐ＴＩＣＫ、エコーズ（再結成含む2回）、エレカシ（３０００席限定含む2回）、ジギーとかカステラとか出たイベント（名称失念）、布袋寅泰、モッズ、ピストルズ、ウィーザー、レディオヘッド、アジカンが2回、フランツ・フェルディナンド、アークティック・モンキーズ、井上陽水。思い出せないけどまだ何かあったはず。

社会人になってからは岡村靖幸を楽屋まで訪ねたことがある。ライブ後、長イスに横たわる当時の岡村ちゃんはまるで海岸に打ち上げられたセイウチのようでした。

そして武道館の中でもいちばんグッと来てしまうのが、「武道館で解散」というシチュエーション！「なんてわかっているんだろう」と僕なんか思ってしまう。スライダーズとandymoriは燃えましたね。

プロレスも数え切れない。僕が中学生の頃から、全日のシリーズ最終戦は武道館と決まっていた。89年6月5日（なぜ勉強はからきしだったのにこの手の日付は死んでも忘れないのだろう）、三冠ベルトをかけて天龍が鶴田にパワーボムから初フォール。ここから92年の8月、三沢がハンセンのこめかみにエルボーを叩き込んで三冠奪取まで、年4回のシリーズ最終戦は欠かさず観戦した。第2次ＵＷＦも新日もＵインターもノアも、小橋の引退試合も観ました。ボクシング鬼塚の世界戦も含めると、格闘技関連だけでも30回以上は武道館に足を運んだ。

でいるのか。

それにしても、僕は武道館のことをこれほど愛しているのに、レスラーでもミュージシャンでもないから、武道館のステージ（もしくはリング）に上がることはない。永遠の片思いです。せつない。なんで作家になんかなったんだろう。ロックスターにもプロレスラーにもなれなかったからでした。あはは。笑ってる場合だ。

いやー、繰り返しますがローゼズの武道館最高でしたよ。「ドラマーのレニが骨折して来日キャンセルだった」？「幻の公演に終わった」？「次の来日も決まってない」？

いいえ、僕は夢の中で観ましたよ。最高だったたって。泣いてなんかないって。

【２０１６年８月号】

vol.3

僕が東京で目撃した有名人たち

「特技は何ですか?」と訊かれたら、答えは決まっている。

神が与えし唯一の能力、それは「人混みの中から有名人を見つける」こと。

大袈裟《おおげさ》な書き出しになりましたが、本当にそうなのです。

以下は、ライブやプロレスなどのイベント会場(楽屋含む)及び周辺とか出版社とか放送局とかマスコミ試写会場とかゴールデン街などの著名人が集まる店とか街頭演説で見たのはノーカウントで挙げていきます。あくまでもストリートや何気に入ったお店などでバッタリとお見かけした人のみを。偶然が大切です。

地方で育った人がよく「東京に行くと芸能人にいっぱい会えるんじゃないか」と言いますがそんなことはないと思います。繰り返しますがこれは僕の唯一の特殊(略)。ちなみに僕の人生初の芸能人目撃は7歳のときに新幹線の中でドリフターズです。それではどうぞ。

・池袋　林家パー子・ペー夫妻（ビックカメラ前）、キラーカーン（パチンコ屋）、エレカシ宮本（書店で江戸時代の古書を立ち読みしていた）、宮尾すすむと日本の社長のボーカル（バイトをしていたカラオケ屋）、ビクター・キニョネス（郵便局で困っていたところを通訳してあげた）

・雑司ヶ谷　中山美穂（撮影中）、深津絵里（撮影中）

・高田馬場　末井昭（白夜書房入社前。向こうからガス湯沸かし器が歩いてくると思ったら末井さんだった）、アンディ・フグ（駅構内とコンビニの2回）、西寺郷太（コアマガジンそばの今は無きコンビニ am/pm で）、矢野通（結婚式の帰り）、佐竹雅昭（働いていたコアマガジンのすぐそばに住んでいた）、乙武洋匡（駅構内など複数）、柳下毅一郎、鈴木邦夫（複数）、村上春樹（駅前交差点で。呼び止めて握手してもらった）

・新宿　片寄明人（駅前）、ハマ・オカモト（後で調べたらレッドクロスでライブを控えていた）、西加奈子（喫茶店）、ゆでたまご（丸井地下）、千原ジュニア（南口を後輩芸人と）、坂本慎太郎（タワレコ）、吉村秀樹と田渕ひさ子（タワレコ。ふたりが結婚する前）、大木凡人（駅改札前）、吉田豪、楳図かずお、中原昌也（ディスクユニオン）、大山峻護（カフェ）

・渋谷　中原昌也（レコファン）、黒柳徹子（文化村から出てくるところを。足が悪いらしくお付きの人と杖をついていた）、ダンカン（スーツでびしっと決めて若い衆を連れて。カッコ良かったが怖かった）、ダイノジ大地（センター街）、ロンブー（テレビ収録中）、松下奈緒（似すぎなお母さんと一緒）、駒田徳広（冬にコートなし、セーターのみ。デカすぎ）、山崎真実（109）、古田新太（一蘭）、三池崇史（交差点）、相築あきこ（デパート）
・恵比寿　天野祐吉（ガーデンプレイス内で。その後『広告批評』の面接を受けて落とされた）
・赤坂　岡村靖幸（駅前で自転車に乗ってるところを）
・高円寺　田代まさし（喫茶トリアノンで取材中）、山崎洋一郎（駅前）、前田健（阿波おどりフェス中の屋台でコスプレしてた）、ビル・ロビンソン（駅前のお茶屋）
・中野　しょこたん、藤井暁（テレ朝アナ）、峯田和伸（終電間際の時間に、一緒に歩いていた女の子を熱心に口説いていた。後に本人に会ったときにそのことを話すと「カッコ悪いじゃないですか！」）
・阿佐ケ谷　満島ひかり（3・11直後に自然野菜屋で）、島本理生（本屋）
・西荻窪　田代まさし（駅前）
・吉祥寺　楳図かずお、島本理生（LOFT）
・下北沢　又吉直樹（駅そば）、蒼山幸子（ねごとのボーカル。MVの撮影中。自転車に乗って片目に眼帯をしていた）、木下理樹（駅内。マスクをしていたが、後でDMで確認すると本人と判明）、曽我部恵一（彼の経営するカフェCCC他）、ハルカ（ハルカとミユキ。駅前）、エンケン、柄本明（犬を連れているところと、家族フルメンバーの2回）
・外苑前　成海璃子
・表参道　山本寛斎
・六本木　牧瀬里穂（アマンド店頭で着物を召して立っていた）
・野方　大槻ケンヂ（少なくとも5回以上。松屋で逆ナンされているところも目撃）、金村キンタロー（当時のリングネームは金村ゆきひろ）、セイン・カミュ（テレビ収録中）、前野健太（図書館の司書として働いていた）、佐々木有生（格闘家。同じアパートだった）
・沼袋　カラテカ矢部太郎
・池尻大橋　石田純一（深夜のイタリアンレストランで。靴下は穿《は》いていなかった）
・三軒茶屋　内田裕也（毛糸屋と焼き肉屋の2回）、小嶺麗奈（40歳を過ぎて生まれて初めて三茶に降り立って5分後）、チュートリアル徳井（小嶺麗奈を目撃して3分後。自転車に乗ってた）、杉浦貴（ベンツから降りたところなど2回）、柄本明（自転車に乗っていた）、野村義男（自転車）、松尾スズキ（自転車）、森山未來（自転車）、杉作J太郎（自転車）、古田新太（飲み屋）、スチャダラパー（スタジオ前）、大久保佳代子（西友そば）、中村和彦（9mm Parabelum Bulletのベース）、川合俊一（テレビ収録中）、RYO－Z（リップスライム。

近所ですれ違いと松陰神社商店街のオシャレ古本屋のイベントの2回)、PESとすほうれいこ夫婦(深夜までやってる蕎麦屋で)、森本太郎(ザ・タイガース)小出恵介(バー。かなり泥酔していた)、沢尻エリカのママ(同じバー)、佐藤タイジ、永澤俊矢(30回以上)、勝野洋、城戸康裕(緑道を走っていた)

・世田谷区　ピエール瀧家族、バイキング小峠(ボロ市)
・神楽坂　坂口力(元厚生大臣)
・中目黒　西山喜久恵
・築地　高見盛
・東銀座　小島聡
・有楽町　染谷将太(三省堂)
・東京駅　平尾誠二
・お台場　木根尚登
・デモ　スチャダラアニ、荻上チキ、中川敬(ソウル・フラワー・ユニオン)
・山手線車内　山崎一夫、エレカシ宮本、片桐はいり、太陽ケア、青山知可子
・他の電車内及び駅構内　鈴木紗理奈、剛竜馬家族、加藤清史郎、村松利史(平成モンド兄弟)、三宅正治(フジテレビアナ)

どーですか、読者貴兄。さすがに呆れていませんか。これは思い出せる限りで、実際はもっと目撃しています。公表しているパートナー以外の方と親密そうにしていたものは省きました。基本、声はかけません。僕が人見知りだし、そっとしておいてあげたいから。

ちなみに引っ越した先の京都でも目撃し続けています。山本昌、宮迫博之、船越英一郎、いしかわじゅん、麒麟川島、東浩紀、ウィルコ・ジョンソン、くるり岸田、夏帆など。

セレブ妻に付き添う形で最近はグリーン車に乗るという身分不相応なことをしているのですが、おかげで今年に入ってから20人以上の芸能人をお見かけしました。行数足りないから省略。

無駄に思えたこの能力と記憶力も、こうして原稿が一本書けたのだから役に立ったのでしょうか。でも近年、視力の低下とともに衰えています。僕のただひとつの取り柄も無くなりそうです。今後はどうやって生きていこう。

【2016年9月号】

BOØWYとわたし

vol.4

　先日ツイッターのTL流れから、井田ヒロトの『お前はまだグンマを知らない』というマンガを読んだんですよ。「群馬県あるある」のマンガで、主人公の学生たちが「文化祭でコピーバンドをやろうよ。群馬が生んだレジェンド、BOØWYは?」って話があがったとき、脇キャラのひとりがスゴいことを言ったんです。

「お父さんが聴いていたバンド」

　……んはあ! も、部屋でひとり膝をつきました。

　ビートルズの武道館公演を観た人を「おお、すげえ」と思って生きてきたけど、いまどきは「BOØWYのLAST GIGS観たよ」なんて言ったら、若い世代の子たちから「歴史の目撃者ですね!」とか尊敬の眼差しで見られるのかな。

というわけで今回は、Ceroとか Suchmosとか、オシャレな音楽が好きなライターがカッコつけて取り上げないBOØWYについて、同じ時代を生きた樋口が正面から語ってみます。とはいえ、BOØWYがどれだけ人気があったか、どこから説明していけば良いのやら。記憶を整理しながら書いていきますね。

1986年の『BEAT EMOTION』で大ブレイクして「夜のヒットスタジオ」に出演したのはオンタイムで観てます。当時僕は高校生。いま考えてみるとそれまでの音楽番組では、この後日本の音楽シーンを変える数多《あまた》のロックスターたちをきっちりと映し出すことは難しかったと思います。確実に新しい時代が来ていました。

BOØWYはよく「地方のヤンキーから支持された」と言いますが、東京生まれ東京育ち、貧坊っちゃまの僕と3歳上の兄貴にも衝撃を与えました。兄貴なんかそれまでのBOØWYの全アルバムだけでは飽き足らず、『〝GIGS〟CASE OF BOØWY』VHSビデオ全4巻（動画配信世代になんと説明したらいいのか）まで買い揃える始末。ええ、遅れてきたファンとしてずっぽりハマりましたよ。

『PSYCHOPATH』がリリースされたのは87年9月。マイケル・ジャクソンのアルバム『BAD』が全世界同時発売されたのと同じ週。マイケルはワールドツアーで日本滞在中だったのに、初登場一位に輝いたのはBOØWYのほうでした。すげえ。

で、「年末の渋谷公会堂で解散か?」とスポーツ新聞の芸能欄に大きく載って、そんなバカなと驚いていたら本当にその通りになってしまった。

翌88年、4月4日と5日に東京ドームで「LAST GIGS」をやると発表。チケット発売当日は日本中から申し込みの電話(ネットやコンビニでライブのチケットを購入する世代に何と説明略)が殺到し、近所のサンシャイン60の中にあったチケットセゾンの回線がパンク。この騒ぎを一般紙が取り上げ、BOØWYは人気のロックバンドから社会現象のそれへと祭り上げられていく。

そしてその激レアチケット、不肖兄貴が正攻法でゲットしましたよ!

観られなかった人たちや、後の世代はライブアルバム『LAST GIGS』で追体験できますが、はっきり言っておきます。実際のライブの盛り上がりはあんなもんじゃなかった。CDを聴いたとき、「え、こんなレベルじゃなかったよ?」って思ったもん。

僕にとって最初で最後になったBOØWYのライブ、声を張り上げて全曲歌いました。

よく覚えているのはヒムロックのMC、「おまえたちのために用意した、最高の夜だぜ!」

これ以降、東京ドームには野球やライブやプロレスで何十回となく足を運ぶことになるけど、屋根が吹っ飛ぶんじゃないかというほどのあの大歓声は経験していません。

解散ライブなのに涙とは縁遠く、あっという間に売れて(ほんとは下積み時代があるけど)、人気絶頂で解散するカッコ良さに喝采を送った。あの日集まった人たちは、歴史の証人になれる喜びに浸っていました。

ダブルアンコール、ラストは2度目の「NO. NEW YORK」。ライブ終了と同時にドームを飛び出して、メンバーの送迎バスを出待ちしたも良い思い出です。もう27年前かあ。

その後も渋公の実質解散ライブや「暴威」時代のライブ音源（スタジオで録音されていない曲を含む）を入手して聴きまくったものです。

かなり長い間、世間はＢＯØＷＹの「余熱」から冷めませんでした。結果としてはラストシングルになる「季節が君だけを変える」を発売したときも、楽勝でオリコンのベストテン内に入ります。これ、少し前にリリースしたアルバム『ＰＳＹＣＨＯＰＡＴＨ』に収録されていた曲で。つまりファンは新曲ではないにもかかわらず、シングルカット（音楽ストリーミング世代に何略）されたからまたお金を払ったのです。こんなの不況と言われて久しい今のレコード業界では考えられないですね。

かつて彼らが所属していたレコード会社、ビクターや徳間ジャパンは未発表曲やレアアイテムを付けて不遇時代のアルバムを再発売したところこれもバカ売れ。

ボーカルの氷室京介やギターの布袋寅泰が解散後ソロになっても売れるのはわかる。だけど作詞作曲にはほとんど貢献していなかったベースの松井恒松もアルバムを発売するとベストテン入り。

つまり「BOØWYと名が付けば何でも売れる」時代がしばらく続いたのです。えーっと、今の人で言ったら何だろう。嵐でいいや、嵐で。

今回原稿を書くにあたって久し振りにBOØWYの音源や映像を聴き直し&見直しましたけど、売れない要素が見当たらないですね。

それに改めて思った。ビジュアル系はもちろん、その後のフォロワーと決定的に違うところ。歌詞が圧倒的に素晴らしい。

氷室と布袋がインタビューでどう語っているか知らないけど、ふたりは相当本を読んでますね。

　人の不幸が大好きサ
　人の不幸が大好きサ
　あいつが自殺したってときも俺はニヤッと笑っちまった
（「MORAL」氷室京介作詞）
うぅ、全歌詞載せたい。
　作り笑いが歪む

長い月日が終わる
胸に染みるのはイヤネ
こりゃ何?
(「CLOUDY HEART」氷室京介作詞)
「こりゃ何?」って当時衝撃を受けたなあ。口語体の歌詞アリなんだ?って。つんくも絶対影響受けてるでしょ。

シャワーを浴びて コロンを叩き
ウインクひとつで この世を渡る
SHE'S A BEAUTY FACE
SHE'S A BEAUTY FACE
女神のような その顔で
SHE'S A BEAUTY FACE
SHE'S A BEAUTY FACE
花をちぎる
メイクをきめて ドレスをまとい
街角に立ち 男を誘う

NEW YORK　NEW YORK
あいつを愛したら
NEW YORK　NEW YORK
星になるだけさ
（「NO．NEW YORK」深沢和明作詞）

筋金入りのBOØWY研究家からしたら、何を今更と言われるだろうけど、これってゲイの娼婦について歌っていますよね。だから「コロンを叩き」だし（これはイエモン吉井も指摘していた）、舞台は80年代のニューヨーク、AIDSの脅威ピーク。だから「あいつを愛したら星になるだけさ＝死んでしまうぞ」なんですね。

他の歌詞も今聴くと、「こんなにヤンキー的要素が大きかったか」と思ったけど、甘いラブソングだけではなく野心を赤裸々に描写している。されど「売れる」「成り上がる」ことだけが目的じゃないと感じられるところがまたカッコイイ。

BOØWYの名前の由来はもちろんデビッド・ボウイからで、ボウイは自らがプロデュースしたミュージシャン以外にも、後世にsuedeとか無数のフォロワーを生んだ。でも最大のチルドレンは、生前彼が会ったこともない日本のBOØWYですよ。断言。

もちろん長者番付歌手部門1位の矢沢永吉や、RCの清志郎という偉大すぎる先人がいますが、BOØWYがいなかったら、その後のバンドブームだけでなく、日本の音楽業界は「バンドでひと山当てる」という方式を見つけていない。B'zもないし（アルバム『BEAT EMOTION』のジャケットがB'zのコンセプトの元ネタなのは明らか）、X（あえてJAPANは付けない）もLUNA SEAもラルクもGLAYもないし、本気のパロディで敬意を表している氣志團もなかった。

BOØWYはマーケットの土壌を作った。一見BOØWYとは無関係に見える次世代、次々世代に繋がるバンドも彼らの恩恵を受けている。その後、「ロッキング・オン」と出会ってTHE SMITHSやフリッパーズ・ギターに目覚め、「BOØWYダサっ」に転じてしまう裏切り者の僕ですが、冷静にそう思いますよ。

さーて、今夜は赤ん坊をお風呂に入れるときのBGMは「PLASTIC BOMB」にしようかな。Thank you GOD, don't be a fool!

【2016年10月号】

vol.5

樋口毅宏の引っ越し人生①
池袋

生まれてから25歳まで過ごした街をどうやって語ろうか。期間が長すぎてかえって難しい。僕が生まれ育ったのは東京都豊島区南池袋2-9-16のアパート2階。母方の祖父母が所有するアパートから、隣の新築一軒家に引っ越したのは8歳のとき。ある日学校から家に帰ると、母親が生まれたばかりの妹とリクライニングチェアーに揺られていた。新築の家の照明と相まって、光に包まれているように見えた。あれは「幸せ」と呼ぶのだと思う。

家は池袋駅から歩いて10分と掛からなかった。池袋と言えば西武デパートだが、終戦の年生まれのおふくろによると、むかしは自宅から二階建ての西武デパートが見えたという。

僕にとって西武デパートといえば、幼い頃におふくろとはぐれて迷子になり、成長してからは寂れた屋上でうどんを啜り、10階の書店でマンガを買う場所だった。

家から歩いて2分と掛からないお寺の一角に小劇場があった。若者文化に理解のある住職が建てたと聞く。名前はシアターグリーン。無名時代の山下達郎と大貫妙子が在籍していたシュガーベイブがそこで頻繁にライブをやっていたなんて、大人になるまで知らなかった。

池袋駅正面から直進で100メートル程度の場所に南池袋公園があり、学校が終わるとそこで野球をやった。いま考えても立地が良い場所だったと思う。ぶらんこ、すべり台、砂場、ジャングルジムなどの他に、球戯禁止のゲージや、噴水広場もあって、だいたい毎日、同級生と夕方まで遊んだ。

噴水は夜になるとカラフルなライティングが施され、2時間ドラマの撮影によく使われていた。テレビに出てくるといつも一瞬でわかった。ルンペンもいた。当時はホームレスなんて言葉はなかった。

通称アベック公園と呼ばれて、周囲をラブホテルが囲っていたが、僕が利用するようになるのは、大人になって池袋を出た後からだ。

南池袋公園が閉鎖されてからずいぶんになる。白い無機質な壁に囲まれて、何人たりとも入れない。「ホームレスを締め出すため」と聞いたことがあるが、本当だとしたら街ごと爆破してやりたくなる。幼なじみの親たちがいまだに住んでいたとしてもだ（編集部注：今年の4月にリニューアル開園しました）。

映画館は歩いて行ける距離に10館はあった。この連載のvol.1でも書いたけど、当時の映画館はいかがわしい雰囲気が立ち込めていた。僕たち子供は映画館を回ってチラシをもらい、実際よく観に行った。記憶が確かなら、小学生の前売り券は600円だったはず。

いわゆるゲーセンは僕が小学校低学年の頃にできた。

肉屋を営んでいた父親は、日曜日は店を閉めて、兄貴と僕をパチンコ屋に連れて行ってくれた。当時はまだ777はない。僕はパチンコが強かった。幼い子供がジャラジャラ玉を出しているので、大人の客が物珍しそうに眺めていた。

パチンコに飽きると100円玉を2枚もらって、すぐそばのゲーセンに行った。パックマンとギャラガが現れたときは、子供心に新時代の到来を感じた。

僕の世代と今の若い人にとってのゲームセンターはまったく意味が異なるだろう。

思春期に聴いていた大槻ケンヂのオールナイトニッポンでこんな投稿があった。

「彼女をゲーセンに連れてくる奴」

真夜中に大爆笑した。

むかしのゲーセンは男がひとり、もしくは友達とで、黙々とテレビゲームをやる場所だった。

「俺も連れて行ったことがある。得意なゲームでいいとこ見せようと思うんだけど、彼女のほうは〝大槻くん、もう行こ〟って（爆笑）」

すいません、もう少しむかしの池袋についてダラダラトークを続けますね。

池袋の東口から西口を抜ける半地下の道があって、WE ROADと呼ばれる。WEとはWESTとEASTの意味。今でこそ照明灯があって横断しやすくなっているが、むかしは違った。昼間でも真っ暗。下水の流れる音がして薄気味悪い。自転車を降りて押さなければいけなかったけど構わず乗った。ときどき何かを踏んだと思ったら、寝ている浮浪者だった。

西武デパートとサンシャイン60がある東池袋と、東武デパートと立教大学と飲み屋だらけの西池袋は、同じ池袋でもまったく異なった。見えない壁のようなものがあった。社会人になってから西口育ちの人と会ってそのことを話したら同意してくれた。

当たり前のように大きな歓楽街で過ごしてきた。だから家にあった週刊誌に、池袋がヤクザと風俗店だらけの危険な街だというレポート記事を目にしたときは驚いた。えっ、そんなヤバいところで育ったの⁉と。

でも確かに目撃したことがある。真っ昼間、駅前の横断歩道で、ヤクザが娼婦らしき女性に「おまえ、これ！」って慌ててタバコを渡していたの。あれ中身、タバコじゃないでしょ。

僕が成長するにつれ、池袋はビルド&スクラップを繰り返し、巨大化していった。遊べるエリアがむかしより拡大していった。

明治通りにタワレコの池袋店ができると、大学生でヒマな僕は、寝起きのままTシャツ短パンサンダルで冷やかしに行った。

そのそばに母校の雑司ヶ谷小学校があったがもうない。自宅から歩いて1分の雑司ヶ谷中学校もなくなり、同じ場所に南池袋小学校ができた。

通りと店のひとつひとつ、名前も知らないおじさんおばさんたちとのやりとり。壁の落書き、駄菓子屋、大勝軒のオヤジさん、ビックカメラにドラクエⅢの行列、真昼の墓地、学校の怪談、パーキングメーター、好きな子の家、叶わなかった約束。それらすべての思い出に名前を付けていたら、センチメンタルに心が押し潰されてしまうだろう。

池袋に別れを告げるときが来た。

僕が21歳のとき、隣に住んでいた祖母が風呂場で溺れ死んだ。享年84。それからちょうど四十九日に、老人ホームに預けていた祖父が死んだ。こちらは89歳。親戚はみんな、「おばあちゃんが連れて行った」と口にした。

祖父母が住んでいた家と僕らの家の土地は祖父母のものだった。親戚に遺産を分配し、相続税を支払わなければならないため、自宅を引き払うことになった。

そうして四半世紀暮らした池袋を、しばらくして訪れたとき、ショックなことがあった。街が、他人の顔をしていた。

遊び慣れたサンシャイン通りも、父親の肉屋があった東通り商店街も、目を瞑っても帰れると思っていた家までの道のりも、どことなくよそよそしい。

池袋駅から見える場所に、長い煙突ができた。ゴミ清掃工場が建てられた。何の根拠も因果関係もないと言われるが、池袋を訪れるたび、目と頭が痛くなった。特に春先は、翌日寝込んでしまうほど。

――そうか、池袋《おまえ》はもう「帰ってくるな」と言うんだな。

現在は住まいが京都のため、池袋を訪れることは年に片手もない。せいぜいタカセのマドレーヌを買うくらいだ。

僕から言えることはひとつ。

池袋よ、おまえについて想うとき、この身の奥から巻き起こる、言葉にならない感情は何なのか。

親父が逝ったせいなのか。それ以外にも理由があるのか。いつか答えてほしい。

【2016年11月号】

vol.6

樋口毅宏の引っ越し人生②
上板橋

生まれてから四半世紀住んだ池袋を離れたときの感慨を、うまく思い出せない。僕よりも淋《さび》しく感じたのは、当時50歳を過ぎていたおふくろだったと思う。

そのおふくろが、引っ越し先を上板橋に選んだ。僕は社会人になりたてで忙しかったし、兄はこれを機に家を出ていて、妹は大学進学に専念していたため、おふくろに任せっぱなしだったはずだ。

親父が死んだばかりで、しかも生まれ育った町を出て行かなければならない彼女の心細さは、如何《いか》ばかりだったたか。

上板橋に越してから、おふくろは池袋の家で飼っていた猫3匹のみならず、近所の野良猫たちにも餌をあげるようになった。所謂《いわゆる》猫おばさんである。「迷惑なことをするな！」と、見知らぬ男たちに数え切れぬほど怒鳴られ、ときには脅された。それでもおふくろは野良猫を病院に連れて行き、自費で避妊手術をした。

文句を言う奴を逆に怒鳴りつけてやろうと、餌やりに帯同したことがある。おふくろの姿を見つけると、暗闇の中から小さな群れがわらわらと集まる。おふくろの眼差しは、息子の僕でさえ見たことがないほど使命感と慈悲に満ちていた。あれは一枚の宗教画だった。

池袋から東武東上線で6つ目の上板橋は、今さら比べてはいけないのだが、もの淋しいものだった。それでも楽しいものを見つけようと、日曜日はおふくろと妹と外食に出かけた。

当時だから食べログを始めとしたネットの情報もない。一軒一軒店に入って、自分の味覚で探していくしかなかった。いま検索したら、北口からそばのとんかつ屋、根岸がまだあるとわかった。元とんかつ屋の息子も納得の美味《うま》さだった。

南口の商店街には和菓子屋の石田屋。もう何年も食べていないけど、僕の人生でいちばん美味《おい》しいと感じたケーキはここだ。

どら焼きが有名な店で、毎日開店前から長蛇の列ができる。僕が石田屋に行くのは、有給で休みになった平日の2時過ぎあたり。和菓子屋さんが作るからだろう、とても優しい味のクリームで、石田屋を知ってからというもの、他のケーキ屋のクリームが強く感じるようになってしまった。久し振りに食べたいな。

そして上板橋と言ったら、ラーメンマニアには蒙古タンメン中本だろう。むかしから名が知れていて、駅から遠いのに、常にお客がいっぱいだった。今でこそ関東に10数店を構えるが、当時は上板橋にしかなかったのでは。こちらもずいぶん食べていない。

上板橋駅から歩いて20分の団地暮らしは平穏なものだった。僕はエロ本雑誌の編集者として多忙を極め、真夜中にタクシーで帰宅することもしばしばだった。はたから見たら充実していると思われていたかもしれない。

しかし実情は、親父が死んだショックが、その直後より、数年経ってからのほうがじわじわと来て、ノイローゼになっていた。愛し愛される人はなく、仕事でセックスをする現状に虚しさを覚えていた（このあたりのことは拙著『ルック・バック・イン・アンガー』で、登場人物のひとりに自身を投影させているので、お時間のある方は手に取ってみて下さい）。

日本のワールドカップ初参戦が掛かった一戦を、深夜に家族でテレビ観戦した。彼らのプレイに声援を送りながらも、こころは虚《うつ》ろだった。

勝利を決めて3人で喜んだ後、自分の部屋に戻り、ひとりの布団に入ると、淋しさに潰されそうだった。

上板橋に越してきて、ひとつだけ良かったと思ったことがある。駅から家までの途中、教育科学館の裏にある、大きな公園の中を横切るときだった。大嫌いな電線が青い空を遮ることのない、だだ広い空間。ベンチに座ってひと休みをすることもなく、高い高い空に吸い込まれていくような感覚で歩く数分間。「ああ、僕は大丈夫だ」と何度言い聞かせただろう。

29歳のとき、状況が変わろうとしていた。

ひとりの女性と知り合い、付き合うことになった。彼女は埼玉の外れにある実家住まいで、東京に出てくることを希望していた。知り合ってひと月もしないうちに、ふたりで住むアパートを探した。そして上板橋の団地を出た。

今もおふくろは上板橋に住んでいる。50に手が届きそうな兄貴とふたり暮らし。僕と妹が住んでいた団地ではない。飼っていた猫はみんな寿命を迎えたが、猫おばさんは細々と続けているようだ。

「いつか池袋に帰りたい」

おふくろは20年間言い続けている。おふくろが口にするたび、ヴィスコンティの名作『若者のすべて』で、アラン・ドロンの最後のセリフを想起する。

「いつか家族で故郷に帰りたい」

国籍も、肌の色も、性別も、年齢も異なるのに、ふたりが重なる。

終戦の年生まれのおふくろはいま71。すまない気持ちでいっぱいになる。

【2017年2月号】

vol.7

樋口毅宏の引っ越し人生③　野方

野方に引っ越したのは2000年。勤めていた高田馬場にある出版社から西武新宿線で一本。寂れているとはいえ商店街があることが決め手になった。

この地で僕は初めて同棲を経験する。最初の2年間は三畳のボロいアパート。ふたりとも世間知がないから部屋も見ずに決めてしまった。吹けば飛ぶような扉を開けると、馬鹿デカいガスコンロが我が物顔で小さな部屋を占拠していた。家賃は5万5000円。よくぞあんな狭い場所にふたりで住んでいたと思う。愛があったから平気だった。愛があるから気にならなかった。

数年前に父親が不慮の死を遂げてから、じわじわとノイローゼになっていた。声も出せない呻吟《しんぎん》の日々で、藁《わら》にも縋《すが》るような思いで彼女を抱きしめながら眠った。この世界に繋《つな》ぎ止めてくれる命綱だった。

2年後は更新せず、次に引っ越した先も野方にした。六畳と台所、押し入れアリ、風呂とトイレが別。それまで洗濯はコインランドリーで済ませていたが、家に洗濯機を置くことができた。駅まで歩いて3分。家賃は6万5000円。前のアパートが酷《ひど》かっただけに、楽園と思えた。

大家さんの大きな一軒家を改造した部屋で、壁一枚隔てて母親と娘さんが住んでいた。とても良くして頂いた。月に一度、勝手口から家賃を支払いに行くのだが、必ずお中元やお歳暮などのお裾分けをもらった。

歩いて数分の角に中島屋精肉店があって、ここでしかお肉を買わなかった。肉屋の息子とはいえ、肉にうるさいつもりはないが、御家族で経営しているお店の雰囲気に、雑司ヶ谷で肉屋を営んでいた自分の家を重ねた。むかしはお客から「家族みんなでいいわね」などと言われると無性に腹を立てていたものだが。

保坂家（中島屋は先代の苗字で、御主人の保坂勲《つとむ》さんが屋号を引き継いだ）のみなさんとは家族ぐるみのお付き合いをさせて頂いた。長男の力さんはボクサーで、僕は彼のプロデビュー戦から、目のケガのため引退が決まる試合まで、すべての戦いを見届けた。自分のような口先ばかりの男には、武骨に戦う男が眩《まぶ》しかった。

中島屋精肉店はメンチカツが特に有名で、ここより美味《おい》しい店を知らない。ぜひ食べてみて下さい。このためだけに野方駅を降りる価値があります。

アパートの前の通りに美少女が住んでいて、たまに見かけた。顔が小さくてすらっとして、道の向こうから「アンドロイドが歩いてくる」と思ったらその子だった。セーラー服の頃から「人と違う感」が強かった。いつもひとりで寂しげな目をして、すれ違ったときに笑われたことがある。

しばらくして雑誌の表紙で見かけたときは驚いた。高校卒業後、モデルになっていた。さらにその後、フジファブリックのサードアルバム『ＴＥＥＮＡＧＥＲ』のジャケットに出ていた。

最近もＣＭでちらっと見かけたけど、元気そうで何よりです。遠い親戚の叔父さんのような気持ちで見守っています。

家と反対側にある野方図書館には異様な存在感を放つ司書がいた。シンガーソングライターの前野健太だ。編集者時代の晩年、ロックバンドのおとぎ話を追いかけていて、前野は彼らと頻繁に対バンを組んでいた。大袈裟と言われそうだが、往年のボブ・ディランとザ・バンドみたいで、間近で動画を撮影しながら感動（僕は安易にこの言葉を使わない）に震えた。

楽屋で少し話したはずだが、前野はその後図書館で会っても、照れ笑いを浮かべるでもなく、視線を交わすこともなかった。気付かないふりではなく、本当に気付いていない様子だった。ミュージシャンに専念するため、ずいぶん前に図書館司書はやめたと聞く。

野方在住の著名人話が続いたが、極め付けは大槻ケンヂだろう。野方で唯一のハイソとされる高級マンションに住んでいた。背が高いからよく目に付いた。見かけるたび連れている彼女が違った（とっくに時効だから書いていいですよね？）。バス停前にレンタルビデオ店があって、一緒にいた女性は当時噂《うわさ》になっていた歌手だった。前にも書いたけど、牛丼の松屋で逆ナンされているのを見たときは引いた。地元のプライベートでいるときに、「オールナイトニッポン第1回から聴いてました！」と声をかけたら迷惑だろうと思い、遠慮した。

去年初めて対談させてもらったら、「もう野方は出たよ」とのことだった。

野良猫がアパートに住み着いたこともある。全身が黒と茶色のサビで、同棲中の彼女が「まだら」と名付けた。まだらは左の後ろ足が悪く、小柄だったが頭が良い子で、ムダに鳴くことはないし、トイレは外で済ませてくれた。

「1歳ぐらいかな。ご飯もそんなに食べないね」「うん」

僕と彼女が家を空ける時間は外出し、帰ってくると窓から入ってきた。1階だとこういうとき便利だ。垣根があるから大丈夫だろうと思い、洗濯物を外に干したところ、彼女の下着が2枚盗まれたことがある。1階はこういうときダメ。駅前の交番に相談し、東急ハンズで防犯カメラを下見し、夜は傘をバット代わりにパトロールをした。ポストから郵便物をパクられたときも、逃げる犯人を追いかけたが足が速くて、捕まらなかった。

「まだら」の話に戻る。まだらに快適に過ごしてもらおうと、猫グッズを色々と買い揃えたのに、うちに住み着いてきっかり2ヶ月後、家から姿を消した。

先述のモデルの子の実家の向かいの一軒家に、2階に上がる外付けの階段があって、通りからよく見えるのだが、そこでまだらが他の大きな猫とひなたぼっこをしていた。「まだら！まだら」と話しかけたけど知らん顔。家から出てきた人に話しかけた。

「あれ、うちの猫なんですけど」

おばさんは曖昧に苦笑した。

聞けば「まだら」は元々この家の猫で、息子さんが子供の頃、図書館に住み着いた足の悪い捨て猫を拾ってきたのが始まり。家で子猫を産んだものの育児放棄で、近所の家を転々としてはふらりと帰ってくるという、フーテンの猫だったことが判明した。

「一緒にいるのがこの子の子供です。ね、〇〇（名前忘れた）」

驚きのあまりふらつく足取りで、家に帰った。

野方の日々はそのまま彼女との日々だった。

どこに行くにも手を繋いだ。高円寺までだと片道40分ぐらい。いい運動になった。真夜中に環七を渡ってファミレスでお茶を飲んだり、野方ホープで舌鼓を打ったり、翌日になったら忘れるような、他愛ない話ばかりした。

5つ年下の彼女は一日中家にいることが多かった。退屈だろうと思い、仕事を終えて帰宅してから彼女をもてなすのが好きだった。もっぱら聞き役で、僕ばかりよく喋《しゃべ》った。かと思えば喧嘩をして2ヶ月以上口を利かず、同じ布団で指一本触れずに過ごすこともあった。どんな理由で争ったのか思い出せない。

そうした小さないざこざがありつつ、2005年に正式に籍を入れた。式を挙げなかったので特に生活に変化はなかった。

自分たちは何があっても話し合えば乗り越えられるはず。そう信じていた。

しかし2009年、僕が会社を辞めて作家デビューしてから関係はギクシャクしだした。僕より彼女のほうが「何者」かになりたい人だった。家の中に、一緒に喜んでくれる人ではなく、妬む人ができてしまった。

そして次の引っ越し先でその日を迎えることになる。

今こうして野方の日々を振り返ると、幸せだったことしか思い出せない。いちばん思い入れが詰まった街だ。離れてからしばらくは駅を通り過ぎるたび感傷に襲われて、涙が零《こぼ》れそうになった。

「永遠に愛している」と思った彼女を、思い出す回数も減った。

野方よ、それでもきみのことを思い出さない日はない。京都で新しい家族を持つ今も（わかっているよ、自分が「おセンチくそ野郎」だということぐらい！）。

野方で暮らした10年間は今も僕の中にある。


【2017年5月】

vol.8

村上春樹と握手したのは僕です（しかも高田馬場）

『ノルウェイの森』がミリオンセラーになって社会現象を巻き起こしたのが僕が17歳のとき、1988年だった。前年から赤と緑の装丁の上下巻が書店でやたら目立っていたが、当時から流行っているものに対して斜に構えていた僕はしばらく静観していた。

それでも今は無き新榮堂書店池袋店で気まぐれに上巻を買うと、学校の授業中もずっと読み耽《ふけ》り、その日のうちに読了した。

次の日、下巻をやはり今は無き雄峰堂新井薬師店で通学前に買い、これもその日のうちに読み切った。そんなことは初めての経験だった。

童貞の僕にとって緑はエロカワだったし、登場人物の大半が自殺という設定に心地よい喪失感を得た（数年後に読み返したところ、いつもセックスの話ばかり振ってくる緑にげんなりし、全編に会話が多すぎてバランスを欠いてると感じた。それでも思い入れの強い本なので、いまだにトラン・アン・ユン監督の映画は未見だし、出演者が誰なのか、視界から積極的に排除している。次に読み返したときに脳内で、その俳優で変換されるのが嫌だから）。

閑話休題。ほどなくして『ダンス・ダンス・ダンス』が出てそれもじっくりと読んだ。それからデビュー作の『風の歌を聴け』から順に、数冊のエッセイと翻訳を除けばほとんど読破していると思う。

さて、なんで村上春樹が日本の作家でここまでウケたのか。ちょっと分析してみましょう。

①欧米を中心とした先進国は「大人になりきれない大人たち」が社会全体の主流になっている。読者からの相談に答える『そうだ、村上さんに聞いてみよう』で、「20歳を過ぎたけど大人になった実感がありません」という問いに、春樹が「30歳で大人になればいいじゃないですか」という旨の返答をしていた。僕なんかは正直ゾッとしながらも、「自分がどういう人から好かれているか、やっぱりこの人よくわかっているわ」と思ったものだ。

「やれやれ」と呟《つぶや》きながら絶望ピクニックを堪能する、飢餓や戦争とは無縁の文化圏で暮らす世代からの支持を集めたわけです。

②川端康成が日本人初のノーベル文学賞を獲得した理由は、ジャポニズムを全面にアピールしたことと、E・G・サイデンステッカーが訳してくれたから。『考える人』のロングイン

タビューで、英語を喋《しゃべ》れるため自分で翻訳者を選んだと春樹は語っていたけどこれは大きい。春樹はジャポニズムと真逆。17ヶ国23人の翻訳者による『世界は村上春樹をどう読むか』という研究書がある。編著した四方田犬彦さんが言うには「どこの国の人も〝村上春樹はうちの国の小説です〟」。

以上、字数が足りないので要点のみを記しました。20年分のコラムを纏《まと》めた拙著『さよなら小沢健二』をあたってもらえれば、そちらはもっと詳しく書いています。映画『リトル・チルドレン』との比較論も収録しています。

で、肝心のノーベル文学賞ですが、当分難しいのではないかと。むかし開高健が名著『風に訊け』で挙げていた「ノーベル賞を取りやすい3つの条件」を思い出してみます。

①ユダヤ人

②私企業に勤めていないこと

③60歳以上

もちろん例外はあります。化学賞を取った田中耕一さんは①日本人②島津製作所勤務③43歳でした。

で、春樹は②と③は合っているのですが、先進国の平均寿命が延びているので③の条件は70歳以上になったかなと。ボブ・ディランも初めて候補になってからだいたい10年、年齢も

75歳になってようやくの受賞だったし。

そしてみなさんご存《ぞん》じのように、あれって持ち回り制なのでアジア番が回ってくるのはまだ先。ハルキストは彼が長生きするよう祈るしかないです。本当なら安部公房（享年68）だったのにその前年に亡くなったため、大江健三郎がもらうケースもありました。

以上、知ったかぶりの原稿でした。そろそろタイトルのエピソードに行きます。僕、村上春樹と遭遇したことがあるんですよ。しかも高田馬場で。

あれは98年か99年だったかな？　僕は当時コアマガジンの編集者でした。季節は夏で、その日の朝はたまたま『ダンス・ダンス・ダンス』を読み返していた。昼の遅い時間にランチをとって会社に戻る途中、駅前の交差点の信号を渡るとき、すれ違った。見た瞬間、すぐにわかった。

――村上春樹だ！

よく気付いたなあと思うでしょ？　この連載のvol.3でも書きましたが、僕の唯一の才能は人混みの中から有名人を見つけ出すことなんです。でもたいていの場合、声をかけたりしません。迷惑じゃないですか。だけど春樹なら話は別。

信号が点滅していたけど、すぐさま踵《きびす》を返して居酒屋だるまとか、当時は2階にムトウ楽器店が入っていた名店ビルの前で思い切って声をかけた。

「すいません、村上春樹さんですか？」

短髪、黒のサングラス、Tシャツ、よく灼けた肌、背丈は172センチの僕よりちょっと低い。リュックを背負う短パンの男が振り返る。

「はい、そうです」

思ったより野太い声だった。この時代は携帯電話に写メの機能はなかったから記念撮影はできない。そんな機能があっても図々しくてツーショットなどお願いできない。サインをしてもらうにも手元に本がない。何より好きすぎて言葉が出てこない。

北島康介より実に10年早く「なんも言えねえ……！」状態。で、春樹先生優しかったね。「あ〜」とか「う〜」としか言えずに立ち尽くす僕にニコッと微笑んで（すんごい白い歯なんだ）、「ハイッ」と手を差し出してくれた。こちらは直立不動の姿勢から深々と頭を下げ、両手で握手させてもらった。

「じゃ」

それから春樹はてくてくと足早に早稲田方面に歩いていった。いつまでもその背中を見送った。時間にして1分ぐらい。まるで真夏の白昼夢。会社にダッシュで戻ると「いま村上春樹に握手してもらっちゃったあ。俺と握手すると春樹と間接握手することになるぞ〜」と手を振り上げて自慢しました。

さてさて、最新作『騎士団長殺し』ですけど、まどろっこしいというか、ちょっと展開が遅くなかったですか？　ローティーンの女の子との会話はそれこそ『ダンス・ダンス・ダンス』を彷彿《ほうふつ》とさせるものがありましたね。でもあれ、児童虐待じゃね？

でもまあ『1Q84』もそうだけど、還暦を過ぎてあれだけの大長編を集中力が切れずに書きあげるのはほんとに凄《すご》いことですよ。主人公の音楽の好みが40代手前の人と思えないとか文句を言いつつもやっぱり面白いですしね。

僕はいま何の因果か、春樹が生まれ育った京都に住んでいるけど、年に数回神宮球場に行くと、「きょうは先生来てるかな」と、つい探してしまう。

氏が大のヤクルトファンで、それこそサヨナラホームランを見たのがきっかけで小説を書こうと決意したのは有名な話。現在は球場のそばに事務所があると聞く。

今度会えたら何て声をかけよう。またしても「なんも言えねえ」状態になるか。

春樹のみぞ知る。

【2017年6月号】

vol.9

樋口毅宏の引っ越し人生④
阿佐ケ谷〜茗荷谷

２０１０年の夏の終わり、10年間住んだ野方から阿佐ケ谷に移った。会社が高田馬場だったので西武新宿線で5つの野方に居を構えていたが、退社した以上、留まる理由がなくなった。野方のアパートはひと部屋しかなく、執筆するため家にいる時間が増えた僕は、妻と険悪な時間を回避するため、別々の部屋があるマンションを選んだ。

それまで阿佐ケ谷にはたまに遊びに行っていた。家族向けの住みやすい街というイメージだった。野方のバス停から中野まで行き、中央線に乗って阿佐ケ谷というルートで、わりと遠いと思っていた。

ところが西武新宿線で野方駅から2駅の鷺ノ宮駅まで行き、その気になれば阿佐ケ谷まで歩いて行けることがわかったのは、引っ越した後だった。ほんとに僕はモノを知らないし、地理に関して天才的に弱い。

阿佐ケ谷駅前の大通りをまっすぐ進んで5分のマンション。1階にドラッグストア。3階の大きな窓を開けると、大きな欅《けやき》の並木道が美しく、夜明けの時間には光で緑が移り変わっていく景色に心を奪われ、「いいところに引っ越したなあ」と、仕事を忘れるほどだった。

家賃は倍近くになったが、デビューしてからすぐに著作は話題になったし、1年目の収入は80万円ほどで、全額税金で取られたが、何より自信があった。やっていけると思っていた。

少し不安だったのは、外観は立派に見えるマンションが、中は案外ボロかったこと。内見したときも、梁《はり》ってありますよね、天井にある横の太い柱。あれを下から押したら簡単にグイっと持ち上がったのだ。

真上の住人の歩く音が手に取るようにわかった。小さい子がいるようだ。妻の部屋はダイレクトに伝わるらしく、一日中家にいる彼女は不平を零《こぼ》していた。

あるときなど寝ていたら携帯電話の音で起こされた。あれ、音を消したはずなのにと思ったら、壁の向こうから「もしもし」の声。それぐらい壁が薄かった。隣が不在の時間を見計らって壁を叩いてみたところ、太鼓みたいないい音がした。

それより僕の心に引っ掛かっていたのは、妻との関係だった。彼女を抱きしめながらでないと眠れなかったはずが、別々の布団になった。けれど自分の部屋を持つことで、顔色を窺《うかが》うことも減って、せいせいしていた。

その日がやってきた。２０１１年3月11日、午後2時46分。凄《すさ》まじい揺れだった。

僕も妻も家にいた。すぐに妻を呼んで家の外に避難した。並木道からマンションを見上げる。４階建ての横長の建物が、見えない神の手にシェイクされるように激しく揺れた。身の危険を感じて、次々と住人が出てきた。外観はそれなりに立派なマンションを呆然と見つめるしかなかった。

中に戻ると被害は甚大だった。薄型テレビは台から落ちて画面が割れて映らなくなった。冷蔵庫の上に載せていた電子レンジは真下ではなく、「これは新しい競技、電子レンジ投げ競争ですか？」というぐらい遠くに飛ばされていた。トイレの水は流れっ放し。ガスはストップ。つっぱり棒で止めていた本棚は倒れずに済んだが、上から2段までの本はすべて床に散乱していた。後で周りに聞いたら、いちばん揺れたのはウチだった。ウチよりもっと高いマンションに住んでいる人も、倒れたのはせいぜいフィギュアが数体と聞いて耳を疑った。

こんなところに住んでいられない。次にまた大地震が来たら建物ごと潰れてしまう。早々に引っ越しをしようと決めた。

あとはみなさんご存じの通り、日本列島は不安な日々が続いた。テレビは見られなかったので、主にツイッターを頼りにした。この国は終わるのではないか？という思いに襲われた。

福島県の第一原子力発電所、通称フクイチの屋根が吹っ飛んだ日、妻を連れて東京から脱出した。今もあのとき取った行動は間違っていなかったと思っている。運良く乗れた新幹線の終着駅は福岡だったので、博多で数日過ごした。帰りには以前から気になっていた小豆島に一泊して『二十四の瞳』の世界を見てきた。（この頃のことを思い出すと今もつらい。拙著『二十五の瞳』にすべて書きました）

阿佐ケ谷に戻ってからも相変わらず世間は、そして僕もざわついていた。大地震を経験しても妻と心をひとつにするどころか、悪くなる一方だった。

ある日、妻が埼玉の実家に帰った。彼女と10年間一緒に住んでいたが、ひとりで帰郷するのは初めてだ。そんなに僕のことが嫌いなのか？「好きなだけ実家にいろ！」と怒りのメールを送った。

阿佐ケ谷のマンションにひとりで過ごした。朝になると美しい光景を見せてくれた欅の並木道も色褪せていた。用もなくパールセンターをぶらつき、餃子の豚八戒や中華の鍋屋（KOYA）、和菓子のうさぎや（ここより美味《おい》しい草だんごを知らない）など、美味しい店を素通りして帰宅した。妻と一緒じゃないと、食べてもつまらないからだ。映画好きだというのに、結局阿佐ケ谷にいた間は、一度もラピュタに入らなかった。いちばん足を運んだのは神社の神明宮と、深夜の西友だった。

「これまで俺がどれだけおまえに気を使って生きてきたと思っているんだ！」と、妻への怒りは収まらず、「ここは危ないので引っ越すから」と、彼女の荷物をすべて実家に送った。阿佐ケ谷には9ヶ月しか住まなかった。

こうやって振り返ると、何て自分勝手な男だろう。完全にブレていた。頭がおかしくなっていた。実際の被災者の苦しみのことを考えず、自分の小さな苦しみばかり見つめていた。寄付ぐらいしかしなかった。

引っ越しの話に戻る。基準はふたつあった。ひとつは今度こそ頑丈な造りであること。築浅でRC造りの物件を探した。もうひとつは母親が住む上板橋と、妹が住む池袋に近いこと。天災に見舞われた僕は突然家族の大切さに目覚め、頼まれてもいないのにふたりの家に近いマンションを回った。

一度新大塚に決まりかけたが、間取りを聞いた師匠白石一文から「それじゃあ息がつまるよ」と反対され、一緒に不動産屋を回ってもらい、茗荷谷に行き着いた。

駅から歩いて十数分、長い坂の下にある広めのワンルーム。家賃は12万ぐらいだったか。住んでみてぶったまげた。茗荷谷には何もなかった。ひとりでふらっとご飯を食べられる店や酒を飲む店がない。都内なのに商店街がない町が存在するとは想像だにしなかった。完全に陸の孤島。

大家がまた最悪だった。茗荷谷のマンションは4階建てだったが、4階に住む大家だけが使えるエレベーターしかなかった。他にもゴミの捨て方など、口うるさく言われた。野方のアパートで「大家＝いい人」と植え付けられただけに落胆した。拙著で悪役の名前で登場させて、生きたまま皮を剝いでやらないと気が済まない。

そして死ぬほど驚いたことがある。マンションの斜め前にお寺があったのだが、読み方こそ違うものの、別居中の妻の名前と同じ名前の寺だった。僕の文章力云々以前に、この驚きをわかってもらえるだろうか。わかってもらえねえだろうなあ。

結局茗荷谷には2011年5月1日から10月31日までの半年しか住まなかった。この間に正式に離婚した。人生でもっとも呪《のろ》わしい季節。

二度とこの地には足を踏み入れないと心に誓ったが、なんということか、妹夫婦が茗荷谷に中古のマンションを買ったため、その後何度も訪れている。播磨坂にあるラーメン屋のもりずみとか、一種類のパスタしかないBase《バーセ》とか小粋で美味《うま》い店が次々とできていて、人生の皮肉を感じる。

その次の引っ越し先は三軒茶屋。結婚には懲り懲りだったはずが、まさか独身最後の場所になるとは思わなかった。

【2017年8月号】

vol.10

人生で大事な町はすべてアド街から教わった

散達読者の皆さんならとうにご存じでしょうが、私は薄っぺらい人間です。

どのぐらい中身がない人間かと申しますと、テレビ東京系で毎週土曜日夜9時から放送している『出没！アド街ック天国』が好きすぎて、小説を一冊書いてしまったほどです。

どういうことか、詳しく説明してもいいですか。

いつからアド街を観るようになったか、思い出せません。１９９５年から放送開始の長寿番組ですが、裏番組の高島忠夫が解説をしていた『ゴールデン洋画劇場』や、草野仁司会の『世界ふしぎ発見！』のほうばかりチャンネルを合わせていた時期があります。それがいつの間にか、板東英二がふしぎ発見から不思議なことに消える前には、土曜9時はテレ東にステイ・チューンするようになっていました。

アド街のアドバンテージというか優れている点は、見知った町を何回か観ていくうちに、視聴者が番組に溶け込んでいくところではないでしょうか。

親しみやすさと言ってもいい。「むかし住んでいた」とか「学生のとき友達のアパートがあってよく飲んだ」とか「人目を気にせず愛人としっぽり過ごす下町」とか、所縁《ゆかり》がある小さな町ほど視聴者が思い入れを持って前のめりで観てしまう。

「あの店が取り上げられてないじゃないか」「わかってないな、あの飲み屋があの町のキモなんだ」と思わせたら番組スタッフの勝ちです。「あーっ、あの店紹介すんなよ！　もっと混んじゃって常連のオレが入れなくなるだろ！」となれば、さらにエキサイトしてくれます。作り手の制作会社、ハウフルスのガッツポーズが見えてきそうです。

（さきほどから意識して「町」と書いています。アド街は「街」なのに。僕にとって新宿や渋谷や六本木は街。鄙《ひな》びた商店と安アパートがあるのは「町」という定義です）

ちなみにこのハウフルス、『タモリ倶楽部』も『秘密のケンミンＳＨＯＷ』も、終わっちゃったけど『チューボーですよ！』も、僕の好きなテレビ番組はみんなハウフルスです。足を向けて眠れません。

で、アド街は1～20位を発表していく構成ですが、後にも先にも、1位が小説、及び映画作品だった街があります。どこかわかりますか？

答えは小豆島。香川県にある小さな島で、1位は『二十四の瞳』でした。2008年3月の回でしたが、これが心に引っ掛かった。それまでは先代の「あなたの街の広報部長」キンキンとアシスタントの大江麻理子に惹かれるように観ていたけど、小豆島の回により、アド街好きが決定的なものになりました。

自分も壺井栄のように小豆島を舞台にした小説を書きたいと思い、『二十四の瞳』の原作と映画はもちろん、郷土史などにも目を通して構想を練りました。

前回の引っ越し人生④でも書きましたが、3・11があったとき、福岡まで避難した帰りに小豆島まで足を延ばしました。1泊2日の滞在でしたが、アド街ベスト30を参考にして、バスや自転車で島を周《まわ》り、地理関係が頭に入った。ガイドブックとしてとても役立ちました。

アド街のおかげで拙著『二十五の瞳』を上梓できたようなものです。この場を借りて御礼を言わせて頂きます。

あ、でもね、小豆島の回、尾崎放哉が取り上げられていなかった。彼の終《つい》の住処《すみか》が小豆島にあるのにどういうことでしょう?「咳をしてもひとり」などで超メジャーな俳人なのに。「ゴールデンタイムに文化人ネタは必要ない」って?

先日、金沢を訪れました。もちろんアド街でちゃんとチェックを済ませてから。1位兼六園、2位寿司、4位21世紀美術館、5位金沢城公園、9位茶屋街、10位長町武家屋敷跡、17位自由軒、20位ＪＲ金沢駅を堪能してきましたよ。

だけど禅で有名な鈴木大拙館がランキングに入ってなかった。荘厳なデザインの館内はインテリ白人ばかりでした。泉鏡花記念館、徳田秋聲記念館もスルー。今年の6月24日放送の新宿区中井の回では林芙美子記念館を4位に、２００９年に新宿区中井を取り上げたときも5位に挙げてたのに。

ハウフルスよ、しっかりしてくれ。好きだからこそ苦言を呈したい（さっきまでと言ってることがころっと変わる）。

気を取り直して話を戻します。東京に住んでいた頃、フィールドワークの地域が取り上げられると齧《かじ》り付くように観ました。自分が知り尽くしていたと思っていた町の意外な一面（というより穴場の店）を教えてもらって、実生活で大いに活用させてもらいました。放送終了後も各回のランキングが公式サイトにあるのでホント助かります。「アド街 〇〇（地名）」で検索。これ人生の基本。

「樋口さん、いいお店を知ってるのね♡」と言われるたび、「たまたまだよ」と返してきました。「アド街で見た」なんて正直に言わないよ。薄っぺらいだけでなく、姑息な男だからね。

ここで「アド街で知ってからというもの、現在も通ってる店ベスト5」を発表します（順不同）。

・李朝園（吉祥寺。某大物作家もいちばん好きな焼肉屋）
・里の宿（吉祥寺の魚の定食屋。煮魚がメチャクチャ美味い）
・本むら庵（荻窪の蕎麦屋。天ざる２１００円の価値納得）
・うさぎや（阿佐ケ谷の和菓子屋）
・だるま料理店（小田原の名店。新鮮なネタの寿司と天ぷらに舌鼓を打つ）

そしてアド街の極私的ツートップは、生まれ育った雑司ヶ谷と、10年暮らした野方です。これに尽きる。しかもこの回はそれぞれ２０１０年11月6日と11月13日に続けて放送されました。樋口の心は如何《いか》ばかりだったか。ランキングを全部載せます。

雑司が谷（番組では「が」と「ヶ」に表記が混在していました。自分的には絶対雑司「ヶ」谷です）1位雑司ヶ谷鬼子母神堂、2位雑司ヶ谷霊園、3位都電荒川線、4位東京音楽大学、5位雑司が谷旧宣教師館、6位大鳥神社、7位上川口屋（ここの内山さんの息子、うっちゃまは僕と生年月日が一緒）、8位並木ハウス、9位ときわ木、10位雑司が谷 寛、11位小倉屋製菓、12位和邑《わむら》、13位はや川提灯店、14位江戸一、15位アカマルベーカリー、16位手創り市、17位鳥常、18位ステンドグラス工房時屋、19位Mo's Cafe、20位鬼子母神大門ケヤキ並木、21位いせや食品、22位 zoshigaya miyabi、23位木菟《みみずく》らーめん、24位花店、25位鮨義、26位豊島屋、27位蜆《しじみ》、28位旅猫雑貨店、29位ターキー、30位ひなの郷（拙著『さらば雑司ヶ谷』で「人類史上最高の音楽家は誰か」を近所の住民が集まって語るお店のモデルとなった場所）。

うーん、改めて見てもいまひとつ腑に落ちないランキングだなあ。僕のようなオジサンが知らないスポットも出てくるのは、教えてもらう形になっていいんだけど、大事なお店が抜け落ちてないか？　挙げていったらきりがないが。

続けて西武新宿線野方。1位5つの商店街、2位はしご酒、3位野方文化マーケット、4位金時煎餅、5位野方食堂、6位基順館、7位ヤッホーROAD、8位秋元屋（黎明期から知ってるけどモツ煮込みが絶品）、9位光明電機、10位グランシェフオオヤ、11位中島精肉店（実質1位。野方の良心。何度も書きますが、ここ以上に美味いメンチカツを知らない）、12位花みずき&花道、13位元気な青果店、14位野方電機工業、15位魚文、16位光進堂、17位稲毛屋、18位ぱある、19位ぢりお、20位吉田屋、21位とりふじ、22位さぶちゃん&ひなさく堂、23位アップルポット（大好きな洋食屋。厨房の父子は相変わらずケンカしてるのかな）、24位おもちゃのQ、25位ウェルカム、26位くんちゃん、27位九州屋、28位ととら亭、29位トマト餃子房、30位愛《あい》づ土屋《や》。

うーむ、野方ホープと蕎麦屋のおおひらを入れなかったのは痛恨のミスですね。

西武新宿線野方の回放送当時、すでに阿佐ケ谷に越した後に、番組の始めから終わりまでテンション最高潮で観ました。あーあ、野方が恋しい――前妻と仲が良かった頃の野方に――と思いながら。

最後に。番組がベスト30から20へと数が減って淋《さび》しいかぎりです。大都市にある街のベストテンは上位ほどテーマパークというか、代理店絡みが多い。21〜30位の細かい店のほうが作為がなくて楽しかったです。ハウフルス様、戻しましょうよ。ダメ？ イノッチもいいけど、MCをキンキンに戻せなんてムチャなことは言わないから！

【2017年9月号】

樋口毅宏の引っ越し人生⑤
三軒茶屋

２０１１年11月1日、三軒茶屋に引っ越した。理由は友達の編集者、ナカジ（当時幻冬舎、現在はcakes）が長年住んでいて、「ここは何でもあって住みやすいですよ」と強く勧められたことと、前妻との思い出がない場所だったから。僕は東京生まれ東京育ちだが、40歳になるまで三軒茶屋に足を踏み入れたことがなかった。

自宅前には太子堂商店街があり、少し寂れているものの牧歌的で、商店街育ちの自分にはホッとする雰囲気だった。キャロットタワーを中心にして、網の目状に都市が広がり、通りのどこまでも賑わいを見せていた。その前に半年間住んだ茗荷谷が陸の孤島だったこともあり、「こんな華やかな街に住めるのか」と、しみじみ嬉《うれ》しかった。

直線距離で３００メートルぐらいの場所に昭和女子大学があった。ちょうど『ＡＥＲＡ』

が昭和女子大学の増刊号を発刊した頃で、自分の中で幻想が高まった。「俺の今年の目標は、ベストセラーを出すことより、昭和女子大学のコと付き合うこと！」と、冗談交じりに周りに吹聴した。だが実際に登下校中の彼女たちを見ると幼すぎて、その思いはすぐに消えた。

三茶はとにかく美味《おい》しいお店が多かった。ランチが食べられる店はすべて制覇した。なかでもお気に入りだったのは、家から歩いて数分の『ほていや』という家族経営のお蕎麦《そば》屋さん。昼過ぎに起きると、寝癖もそのままに足を運んだ。昼間から飲んだくれている客が多かったが、不思議と品が良く、アットホームな雰囲気が居心地良かった。執筆に専念しているときは、かつ丼とそばのセットをよく出前してもらった。お店の方はみなさん優しくて、宗教に勧誘されるのではないかと思うほど親切だった。ほていやは、後に『散歩の達人』（創刊20周年記念企画「酒場100軒」2016年4月号）で紹介させて頂いた。

思い入れのある店をもう一軒。あるとき、ナカジが「樋口さんの本が置いてあるブックカフェを見つけましたよ」と教えてくれた。茶沢通りにあるパン屋の2階に『ニコラ』を見つけた。お店の人に「あの本を書いたの僕です」と名乗るのは恥ずかしく、知らないふりをしていた。編集者との打ち合わせ場所にニコラを使うようになると、僕の声が大きすぎるせいか、身元がバレるまで、たいした時間はかからなかった。

昼も夜も通い、オーナーシェフの曽根夫婦とは飲み仲間になった。拙著『愛される資格』は、三茶に住んでいた頃の空気を真空パックしたものだが、ニコラは曽根さんが作る料理とともに何回も登場する。現在もニコラとほていやにはしばしば顔を出し、仲良くさせてもらっている。

三茶といえば、なんといっても三角地帯である。アド街こと『出没！アド街ック天国』で「三軒茶屋 三角地帯」の回があり（2013年5月11日放送）、あの狭いエリアだけでベスト30をやったほどだ。駅から歩いて数分の地に、雑居ビルの中の細々とした店を含めると、いったい何軒あるのか誰も把握できない。特に有名なのが『赤鬼』。日本酒が100種類以上揃い、何を食べても絶品。アド街2位も納得（1位は「迷路のような路地」なので、実質1位）。三角地帯は片っ端から足を踏み入れた。とてもではないがすべてを書き切れない。

自宅の住所は三宿1丁目で、歩いて15分ほどで池尻大橋駅があった。ここもまた小洒落《こじゃれ》た店が無数にあった。下北沢は茶沢通りで道なりにバスでも10分、自転車でも10分なので、どれだけ通ったことか。

淡島通りも歩いて行けた。車がないとどの駅からも遠いため、隠れ家的な店が多い。嵐の松本潤が行きつけの焼肉屋『韓てら』で舌鼓を打っていたときのこと。「松潤来るかな」とワクワクしていたら、ひとりで肉も焼かず、サラダだけを召していた内田裕也さんを見つけて握手してもらったのはいい思い出です。

同じく淡島通りには元ブランキージェットシティの浅井健一さんの奥様が営むカレー屋、『ハンマーヘッドカレー』があった。新刊を上梓するたび、「ベンジーさんに渡して下さい」と持って行ったっけ（いま調べたら閉店した様子。残念）。

近場にはバーが無数にあり、人恋しさと気晴らしに飲みたくなるものの、億劫《おっくう》でなかなか外に出なかった。むかしから酒は強くないし、そんなに好きではないのだなと改めてわかった。

いま振り返ると、仕事も好きなだけ、好きな時間にできて、たまに女の子と楽しんで、なんと自由で、充実したときを過ごしただろう。もともと美味しいものを食べるのは大好きだったが、本格的にグルマンになったのは三茶に越してからのような気がする。

しかしこの気楽で身軽な日々も3年ほどで終わる。

僕は作家デビューしたときから「1年に2冊は出す」と自分で決めていて、一応そのペースを守っているが、あるとき、三角地帯の店で飲んだ後に、ほろ酔いの頭で思った。

――こんな生活がいつまでも続くんだろうな。10年後には本が20冊出ているんだろうな。

そう考えたらゾッとした。

師匠白石一文の高著の中に、「未来が見えないのは怖いけど、未来が見えすぎるのも怖いよ」というフレーズがある。まさにそれだった。

そんなとき、三輪記子と出会った。

結局、最終の新幹線からの弟夫妻とお茶の流れでようやく帰路に。

新幹線の車中で読んだタモリ論(樋口毅宏)で泣くという涙腺の壊れっぷり。すごくスッキリした。積年の悩みに対する回答が書いてあった。も少し早く読めばよかったなー
この頃僕はツイッターをやっていて、エゴサーチをしてこのツイートを見つけた。

三輪記子は京都在住の弁護士だが、頻繁に東京に来ているらしい。タレント活動をしているがうまいように喋《しゃべ》れず、思い悩んでいたところに『タモリ論』を読んだ。そこにはあのタモリも、ビートたけしも、明石家さんまでさえ、先人からの影響を受け、もっと言えばパクって、ビッグになったことを知って安堵し、号泣したという。

僕は手紙とともに他の拙著を送り、出会い、すぐに男女の仲になると、記子からこう切り出された。

「樋口さんの子供が欲しい。結婚しなくてもいい。養育費も要らない。一切迷惑をかけません」

それがいまや、籍を入れて、生まれて初めて東京を離れた場所に住み、妻がいない時間は仕事の手を止めて、赤ん坊の世話をしている。結婚はもうこりごりだったはずなのに。

ま、人生なんてそんなもんですよね。


【2017年12月号】

〝三茶の楽園〟こと、ほていや。右の猫背は著者。左の美人は次女のかおるさん。
この後結婚してお母さんになられた。『散歩の達人』2016年4月号「酒場100軒」より。

vol.12

久米宏さんのこと

２０１３年、『タモリ論』が売れていた頃、ＢＳの新番組「久米書店」からお呼びがかかった。声が悪くて早口なくせに、ラジオにはほいほい出る僕は、一方でテレビからのオファーには頑《かたく》なだ。幾つかの人気番組から出演依頼があったが、共演者にまったく興味が湧かなかったため、丁重にお断りしたこともある。

しかし久米書店のＭＣは久米宏さんである。出ない理由が見当たらなかった。

久米さんの所属事務所であり、番組制作のオフィス・トゥー・ワンと打ち合わせをした。そこで僕は、子供の頃から久米さんのことが大好きなんです。影響を受けまくっていますと、一方的に熱くまくしたてた。

〈『タモリ論』にも書きましたが、久米さんとタモリさんには、歳《とし》もひとつしか違わないし、共通項が多いんです。
①早稲田大学 ②サユリスト③ 帯の生放送番組の司会をしている（していた）。しかも長寿番組 ④既婚者だが子供はいない ⑤乾いた笑い声。
〈僕は「ザ・ベストテン」世代ですからね。「ぴったしカン・カン」も毎回テレビに釘付けでした。特に、日テレの日曜8時に放送していた「TVスクランブル」を異常な集中力で観ていました。「今週も生放送です！」って言うんだけど、番組の大半がVTR（笑）。横山やすしが隣にいて、ひとことも喋《しゃべ》らない回とか、子供の頃お母さんに橋の上から心中を持ちかけられた過去を泣きながら話す回とか、忘れられません。〉

〈日本全国美人妻ってコーナーがあって、やっさんがVを観て最後に、○とか×とか出すんですけど、コーナー募集の際に久米さんが、「応募の際には必ず写真を添付して下さい。番組スタッフがお家に行ってひっくり返ったことがあります」。子供だから本気にしていました。久米さんの魅力って、ああいう茶目っ気なんですよね。稚気と悪意のない交ぜというか。〉

〈所謂《いわゆる》ロス疑惑が世間を騒がしていた頃で、民放各局がお昼3時のワイドショーで毎日飽きもせず、三浦和義を取り上げていました。現地にも取材班がたくさん訪れていて、久米さんが、「この番組でもロスに行ってきました。現地の映像です。どうぞ」ってVを流したら、走る車の中から、車に付いてる小旗が風に揺らめいている映像で。10秒ぐらいで終わり。やっさんが「これで終わりかいな！」。あれは馬鹿騒ぎをしているワイドショーに対しての、久米さん的クリティークなんですよね。視聴者からしても、ほんとにLAに行ったかなんてどうでもよくて。〉

〈TVスクランブルはNHKの大河ドラマと丸かぶりだったんですけど、久米さんが「これを観れば来年の大河を観たも同然です」って、5分程度のあらすじVを流して、「どうですか？こんな短いVTRでもわかる話を、あなたは来年1年間かけて観る気ですか！」ってアジって。めちゃくちゃ面白かった。実際、そのときの大河の視聴率は悪かったはずです（確か川上貞奴の半生を描いた「春の波涛」）。〉

〈やっさんが降板してからは毎週コメンテーターが代わって、広島が優勝した年、衣笠がゲストで、久米さんが「好きな食べ物は何ですか？」って訊《き》いたんです。本来なら子供の手本となることを言うべきでしょう？「ポパイみたいにほうれん草とか野菜を毎食欠かしません」みたいな。そしたら衣笠、「肉以外食べません」。子供ながらテレビにツッコみました。おまえは原始人か！〉

〈TVスクランブルの最終回に「新コーナーです！」ってやって（笑）。僕の悪ノリは間違いなく久米さんのせいです。〉

〈「アッコにおまかせ！」の前番組は、和田アキ子とフリーになったばかりの古舘伊知郎が司会で、第1回は久米さんがゲストだったんです。ふたりが月夜の写真1枚を見ながらレポートする企画があって、久米さんが情感たっぷりの語りに対して、古舘さんはおなじみの速射砲で。ふたりのキャラの違いが楽しめました。〉

〈当然「ニュースステーション」は第1回を観ています。地方中継のレポーターが思い切り空回りして。こりゃ大変だなーと思ったのを覚えています。〉

〈よく言われることですが、ニュースステーションは本当に画期的なテレビ番組でした。それまで視聴率とは関係ないと思われていたニュース番組をプライムタイムでしかも帯で放送。机の上に政治家に似せた人形を置いて解説。フリップボードで肝心な箇所をめくる。デスクの下は女子アナの脚線美など、ニュースの見せ方を抜本的に変えた。テレビはニュースステーション以降、新しいモデルを生み出せていない。〉

〈報道番組の司会者になったら大家とか権威になってもおかしくないのに、久米さんは軽さ——ポップを失わなかった。あのバランス感覚は絶妙。昨日と見分けが付かない日常に疲れて、毎年夏休みを2ヶ月取ってリフレッシュを図っていたけど、ニュースステーションを18年間で降板する。一方、タモリは『いいとも!』を32年間続けた。まともな神経ではない。久米さんのほうが人間としてまとも。〉

〈僕、コサキンのラジオが大好きで、むかし、リスナーが——リスナーなんて呼称もない時

代でしたけど——送ってきたハガキで、久米さんを喩《たと》えて〝床屋の見本〟。〉

立て板に水のごとく、久米愛が迸《ほとばし》った。2時間に及ぶ独擅場の果てに、プロデューサーが唸《うな》った。

「樋口さんの前に、別の方の収録があるのですが、こうなったら樋口さんを久米書店の第1回にしましょう」

僕は文字通り、胸を叩いた。

しかし——。

その当日、子供の頃から憧れてきた人を目の当たりにして緊張しすぎた僕は、借りてきた猫のようにおとなしく、何にも喋れなくなってしまった。誓って言えるが、あんな失態は後にも先にも「久米書店」一度きりだ。

収録終了後、スタジオとして使われた下北沢の書店からうなだれて出ると、失望の色を隠せないプロデューサーがこう吐き捨てた。

「全然ダメじゃないですか」

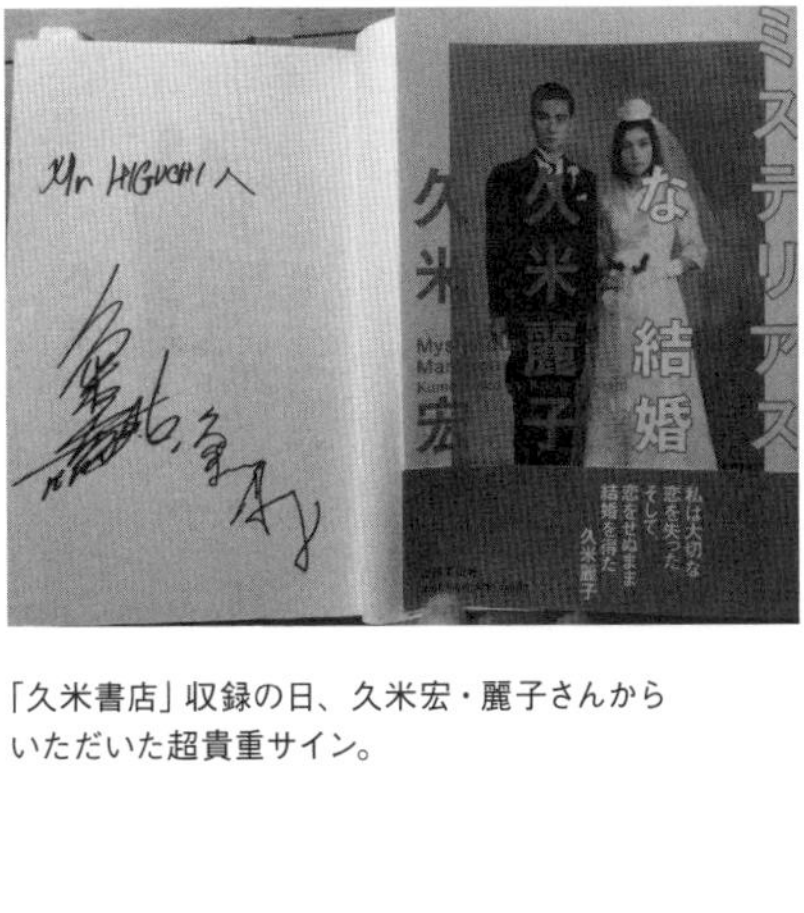

「久米書店」収録の日、久米宏・麗子さんからいただいた超貴重サイン。

ちなみにノーギャラだった。

それから5年の歳月が流れた。架空の旅客機事故にまつわる証言集、『アクシデント・レポート』（新潮社）を上梓《じょうし》した。2段組で600ページ超という浩瀚《こうかん》の書である。そのオビラー（書籍の帯に煽《あお》り文を書く人）を久米さんにお願いした。久米さんならば、昭和、平成、マスコミ、宗教、沖縄、原発を幾重にも重ねたこの小説の本意をわかって下さると思ったのだ。久米さんは快く引き受けて下さった。

「慌てて読むと、転びます。じっくり腰を据えて読みましょう。無事読了すると、しばし放心状態に陥ります」

「歴史は記憶の集積です。誰が、どこから眺めたかによって、その記憶は違っています。だから：僕は歴史をあまり信用していません。そして：隠された歴史は無限に発掘することが出来ます」

久米さん、ありがとうございました。子供の頃の自分に教えてあげたい。感慨無量です。

【2018年1月号】

vol.13

佐野元春がどれだけ神だったか知ってますか

いまの若い人たちは――僕も46歳なので、そろそろこのフレーズを使ってもいいだろう――佐野元春を聴いたことがあるだろうか。「ロッキング・オン・ジャパン」って音楽雑誌がありますよね。創刊号は佐野元春だったんですよ。ある時代までは、最多の表紙回数でした。佐野元春がいなかったら「ロッキング・オン・ジャパン」はなかったし、ということは、今や真夏の風物詩であるロック・イン・ジャパン・フェスもなかったかもしれない。

僕が初めて佐野元春を知ったのは1985年、14歳になる前でした。シングル「ヤング・ブラッズ」のテレビCMでなんとなく耳に入っていた。

同じ頃、生まれて初めて死ぬほど好きになった女の子から、佐野元春の素晴らしさを熱く説かれて、カセットテープに全アルバムを録音してもらい、「僕も好きになろう」と必死で聴きまくった。

その時点で元春がリリースしたアルバムは『バック・トゥ・ザ・ストリート』(傑作)、『ハートビート』(名盤)、『サムデイ』(80年代を代表する不朽の名作)、『ノー・ダメージ』(金字塔)、『ヴィジターズ』(時代に早すぎた問題作)と5枚も出ていたから、僕は遅れてきたファンでした。

元春は、詩人だった。文学そのものの歌詞に必ず、「夜」や、それを想起させる単語が出てきた。他のミュージシャンとは言葉の使い方が根本的に違っていて、それまで歌謡曲や売れ線の洋楽しか聴いてこなかった身には革命的だった。

特に『ヴィジターズ』は、はじめのうち何がなんだかわからなかった。「日本のメジャーレーベル初のヒップホップアルバム」と言われる今作は、ベストアルバム『ノー・ダメージ』がオリコン1位に輝いた直後、元春がニューヨークに1年間在住して作られた。それまでのファンの間でも賛否両論あったと知ったのはずいぶん後だった。

15歳になった僕はレンタルビデオ屋でライブビデオを借りた。驚いた。詩人はライブだとパフォーマーになった。眼鏡とスーツにネクタイの格好で、元春が歌いだすまで、何の曲かわからない。まったくバージョンを変えてしまうのだ。その後、思春期を迎えて、僕は浴びるように音楽を聴くようになるが、ライブでオリジナル通りに歌わないミュージシャンは、元春の他にボブ・ディランしか知らない。

87年9月15日、初めて佐野元春のライブを観た。場所は横浜スタジアム。人気、クリエィティブともに絶頂期だった。アップテンポの「ガラスのジェネレーション」が、ライブではバラードとして歌われる。「つまらない大人にはなりたくない」という必殺フレーズがシャウトする。ネットで簡単に見つかるので聴き比べてほしい。これだけでも、佐野元春が凄《すさ》まじい才能の持ち主だとわかるから。

佐野元春は僕の最初の神様になった。テレビに出ない主義も、捻《ひね》くれ者の僕には大きなポイントだった。ネットがない時代、元春の情報をかき集めた。

そこで「ヤングブラッズ」がスタイル・カウンシルの「シャウト・トゥ・ザ・トップ」の、「グッドタイムス&バットタイムス」のイントロがギルバート・オサリバンの「アローンアゲイン」の、まんまパクリとわかっても、眼鏡とスーツとネクタイがエルビス・コステロの意匠と気付いても、僕には何らノー・ダメージだった。

86年、隔月で3枚のシングルが連続リリースされる。「ストレンジ・デイズ―奇妙な日々」(タイトルはドアーズから)、「シーズン・イン・ザ・サン―夏草の誘い」(チューブから)、「ワイルド・ハーツ―冒険者たち」(フランス映画の名作から。されどMVを100回以上観て元春のマネをした)。それらを収録した6thアルバム『カフェ・ボヘミア』(傑作中の傑作)。その

2年半後に出た、これも7th『ナポレオンフィッシュと泳ぐ日』(神作。あるいはそれ以上)と、元春にもっとものめり込み、神格化した幸福な季節だった。

しかし神に翳《かげ》りが差し始める。8thアルバム『タイムアウト!』から、明らかに歌詞のレベルが落ちていった。「言いたいこと」が目に見えて減退していた。アルバムを締め括《くく》るバラード「空よりも高く」で繰り返されるフレーズ、「うちへ帰ろう」は、まるで力尽きた兵士の帰還宣言のようだった。

それまでの佐野元春は完璧すぎた。アルバムの中にちょっとでも駄曲や、当たり外れがあったら、そこまで失望することはなかっただろうに。

神が斜陽を迎えつつあるのを感じていたのは、当時の僕だけではないだろう。元春はアルバムを出すたび、オリコンの順位が落ちていった。

ライブにも足が遠のいていった。僕自身、大学生になり、さらに音楽に目覚めていく時期だった。実際、海外ではニルヴァーナや、国内ではフリッパーズ・ギターなど、新しい音楽のムーブメントが台頭していた。もっとライブで暴れたいのにイスがあること、手拍子しながら観ることが若い僕には物足りなく、前時代に感じられた(ああ、書いていていてどんどんつらくなってきた)。

僕が佐野元春から教わった最大の教訓、「どんな天才でも、10作以上作品があったら、すべてが最高傑作、代表作、名作にはならない」。

元春を知ってから30年が経過した。その後のアルバムを何枚か聴いたり、ＮＨＫ ＢＳプレミアムで元春のドキュメンタリーを観たりした。手を叩《たた》いて喝采すべきものがあった。

しかし僕にはわだかまりがある。元春を見捨てて裏切った負い目だ。素直にまたライブ会場に足を運ぼうとは思えない。

すっかりおじさんになったため、今ではライブではイスがあるとホッとする。できればずっと座って観ていたいと思う。つまらない大人になった僕は、元春とどう対峙《たいじ》すればいいのだろう。「サムデイ！」と誓える日はまだ来ていない。


【２０１8年2月号】

〈追記〉そして２０１９年、元春はニューアルバム『或る秋の日』をリリースした。老いを受け入れた元春の憂いを帯びたメロディーに胸を締め付けられる。ああ、元春。今までのあなたは間違いじゃなかった！

vol.14

金曜夜8時といえば——昭和プロレスの幻影

みなさんは金曜夜8時、テレビは何を見ていましたか？　よく言われることですが、昭和の男の子たちはこの時間、実に忙しかったのです。

日本テレビは『太陽にほえろ！』を放送していました。刑事ドラマの金字塔で、殉職する回は絶対に見逃せなかった。ＴＢＳは『3年Ｂ組金八先生』。第2シリーズの加藤優が放送室に立て籠《こ》もる回は手に汗握りましたね。ＢＧＭは中島みゆきの「世情」なのに、さだまさしと勘違いしている人が多かったです。僕も含めて。

さて、昭和の男の子たちはいま挙げたことを除けば、金曜夜8時はテレビ朝日にチャンネルを合わせていました。『ワールドプロレスリング』を放送していたからです。「アントニオ猪木率いる新日本プロレスが好きでなければ小学生男子にあらず」ぐらいの勢いでした。もちろん休み時間は教室の後ろでプロレスごっこです。

特に印象に残っている抗争は、猪木対はぐれ国際軍団。長州力対藤波辰巳（当時）の名勝負数え歌。初代タイガーマスク対ダイナマイト・キッド、ブラック・タイガー、小林邦昭の3本立てでしょうか。古舘伊知郎の名実況により、視聴率は常時20パーセントを叩《たた》き出していました。

先ほど「はぐれ国際軍団」と書きましたが3人しかいません。そのうちのひとりはアニマル浜口。この頃はヒールだったのですが、まさかその後娘さんがアマレス選手としてオリンピックのメダリストになるなんて思いもしませんでした。

日本テレビで土曜の夕方、ジャイアント馬場の『全日本プロレス中継』もありましたが、そちらはまあまあ好き程度で、「プロレスは最強の格闘技」「猪木こそ世界最強」と本気で信じ込んでいました。昭和の男の子は――いや、僕はその頃からおそろしく頭が悪かったのです。

1988年、猪木の衰えと次に続くスーパースターが育たなかったため、『ワールドプロレスリング』はゴールデンタイムから撤退。それでもその頃のプロレス中継を観ながら育った子供たちは、成長してアルバイトで小銭を稼ぐようになると、プロレス会場にせっせと足を運ぶようになります。

90年代、プロレスは百花繚乱の季節を迎えます。闘魂三銃士（武藤・蝶野・橋本）の新日本、四天王（三沢・川田・小橋・田上）の全日本、前田・高田・船木のUWF系、大仁田厚を雄とするインディー系、北斗・アジャといった女子プロなど（チョーかいつまんで説明しています）、毎週アリーナサイズの会場で興行があり、僕たち世代の観客で常に満員でした。

しかし90年代も半ばを過ぎると、K－1や総合格闘技が台頭してきて、最強と思われていたプロレスラーが参戦してばったばったと討ち死にすると、プロレスはかつての求心力を失っていきました。僕も創刊号から愛読していた「週刊プロレス」を手に取らなくなり、深夜に移行したテレビ中継すら観なくなりました。

世間では「プロレスは終わった」と囁《ささや》かれるようになり、冬の時代が長く続きました。

しかし近年、プロレスがまた盛り上がっているのです。オカダ・カズチカや棚橋弘至をはじめとする選手たちの頑張りにより、新日本プロレスがめちゃくちゃ面白い。京都に引っ越した僕ですが、赤ん坊が生まれる前は妻とリングサイドで観戦しましたし、CSテレ朝日チャンネルで生放送のビッグマッチは視聴を欠かしません。

どこが面白いのかって？　とにかく選手が体を張っているのです。危険な技を出すだけでなく、試合の組み立て、各選手のキャラクターなど、むかしと違って実によく練られています。他団体もチェックしたのですが、完全に新日本のひとり勝ちだと思います。選手の基礎体力から興行の盛り上げ方まで、満足度が段違いです。

むかしプロレスを一緒に観に行っていた人たちに、僕は吹聴して回っています。「棚橋対オカダは毎回凄《すさ》まじいレベルだよ！　鶴龍（ジャンボ鶴田対天龍源一郎）や、三沢対小橋に勝るとも劣らないんだよ！」

しかし、あれほどともに熱狂してた友たちは、僕の熱い語りにノッてくれません。今の洋楽がいくらカッコよかろうと、その良さを理解してもらえない感じにとてもよく似ています。レッチリ、グリーンデイ、オゥエイシィス、アンダーワールド、ベック、ビョーク、ケミカル、レディヘといった90年代を至上とする人たちに……。

だけど、いまのプロレスがいかに面白いかと話しておきながら、僕も正直思っていたのです。むかしのプロレスは狂気と色香と幻想があったよなあと。

そう信じていたのもつか束の間。やはりテレビ朝日チャンネルで、小学生の頃に熱狂していた試合の数々を、およそ30年ぶりに観たんですわ。

びっくり。悪い意味で。

ちっとも痛そうじゃない。技が当たってない。体を張っていない。グダグダで展開がなってない。いま、これと同じような試合をやったらネットで叩かれまくること確実です。

特に猪木。酷《ひど》いわ。手抜きにも程がある。タイガー・ジェット・シンの腕折り事件（失笑）。

スーパースターの自分を引き立たせるため、はぐれ国際軍団率いるラッシャー木村の一方的リンチと、猪木を贔屓《ひいき》倒しする実況。ガチンコに目が慣れた現代的視点からするとあまりにインチキな異種格闘技戦の数々。

猪木が76年に当時現役のボクシングヘビー級王者のモハメド・アリと真剣勝負をしたのは紛れもない事実。総合格闘技という言葉がない時代、神と神は手探りから、現代のエンタメへガチと続くビッグバンを起こした。毀誉褒貶《きよほうへん》ある生き様も含めて、史上最高の日本人プロレスラーであることは異論を挟めません。

幻想も冷めて、さらに今のプロレスの凄《すご》さを感じているのですが、残念なことがあります。世間にはまだ届いていません。今年の1月4日東京ドーム興行。メインイベントで勝利を収めたオカダ・カズチカはこうマイクアピールをしました。

「今日の東京ドーム、すごいお客さんだったけど、ライトスタンドもレフトスタンドもがら空き。上の方も空いていた！」

そうなんです。僕が大学生の頃、新日本プロレスは1年に3回、東京ドームで興行を行っていました。しかも平均6万人の観客を集めていた。いまは年1回で、ようやく3万５０００人。むかしと違い、ネット配信や選手のグッズが大きな収入源になっているのでしょうが、やはりパイが小さくなっているなと感じます。

繰り返しますがいまの新日本プロレス、ほんとに面白いんです。史上最高のプロレスと断言できます。だからこそ、選手がもっと報われてほしい。

83年でしたか、猪木はプロゴルファーの青木や巨人の4番原辰徳や横綱の千代の富士を抑えて、プロスポーツの長者番付1位でした。

オカダや棚橋、最近トップに躍り出た内藤哲也に、長者番付の123フィニッシュを決めてほしいと真剣に願っています。錦織圭や日ハムの大谷や羽生結弦と何ら遜色ない闘いを繰り広げているのですから。

そうなれば、まったく売れなくて扶桑社の担当が死んだ、僕のプロレス小説『太陽がいっぱい』も、文庫になったらバカ売れすると思うのです。何このオチ。

【2018年3月号】

vol.15

30年ぶりの大江千里

大江千里が大好きだった。

中学生の僕は大江千里のどこに魅《ひ》かれていたのだろう。あまりに特異なボーカル。「男ユーミン」とも呼ばれるポップでせつないメロディー。大瀧詠一が『A LONG VACATION』『EACH TIME』で、「優しくて、弱さを晒《さら》け出せる」新しい男性像を提示し、社会現象を巻き起こしていたが、イラストレーター永井博のジャケットでもわかるように匿名性が高かった。そのすぐ後、当時20代前半の大江千里はメガネをかけた王子として、新しい男性像を具現化してみせた（ちなみに大江千里が1983年にデビューしたときのキャッチコピーは「私の玉子様」。林真理子作）。

今ならそんな風に評論家めいた分析ができるが、僕はただ単純に千里のことを、「ものすごくいい歌を歌う人」だから大好きだった。

どうやって千里のことを知ったんだっけ？ 7枚目のシングル「REAL」のテレビCMがきっかけだったか。それともTBSラジオの深夜放送「スーパーギャング」金曜日だったか。でもコーナータイトルにエコーをかけて語尾の「っ」（例：「やっぱりそうでなくっちゃっ」）を大袈裟《おおげさ》に読む以外は、正直あまり覚えていない。

僕が夢中で聴きまくっていたのは2ndアルバム『Pleasure』（みずみずしい傑作）、3rd『未成年』（名盤）、4枚目の『乳房』（プロデューサーの清水信之がプログラミングしてほとんどの楽器を演奏している。日本ポップミュージック史上最高のトータルアルバム）、5枚目の『AVEC』（最高傑作。実は人生でいちばん好きなアルバムジャケット）、6枚目の『OLYMPIC』（第2のデビューアルバム。まさに千里全盛期）、7枚目の『1234』（青年時代の終わりを感じさせる秀作）まで。どれもハズレ曲一切なし。しかもこの間4年という短いタームでリリースしていた。神か。

初めてライブに行ったのは87年3月11日、『A

ライブのチケット・パンフとCDアルバム

VEC』ツアー最終日の日本武道館。会場は超満員。1万人のお客の中で目視できる限り、男は僕の友達を含めて10人いなかった。さらに中坊は僕と友達だけだっただろう。覚えてますよー。1曲目は「AVEC」のイントロからの「コインローファーはえらばない」。さっきも書いたように大江千里は特異なボーカリストだったから、武道館は音響が良くないし、ちゃんと聴き取れるのか、生声はどんな感じなのか、不安だったが杞憂《きゆう》だった。

渡辺美里が「本降りになったら」のデュエットサプライズで現れたときの大歓声は、屋根が吹き飛ばなかったのが不思議なぐらい。クライマックスは「BOYS&GIRLS」「十人十色」「REAL」のシングル3連発。アンコールはアルバムタイトル曲「AVEC」。

ニュースで午後 夕立がここにくる
きみを犠牲じゃ始められない
ジョニ・ミッチェルが針とびをする

この曲でジョニ・ミッチェルを知った人は多いだろう。千里に限らず、こうやって偉大な先人を聴くようになっていった。感謝するしかない。

しかし89年頃から千里がテレビにどんどん出るようになると、「クラスで3人ぐらいしか知らないようなミュージシャン」が好きな、ひねくれ者の僕は急速に熱が冷めていった。

千里は先頃東洋経済オンラインのインタビューで、「（セールス的にはピークの90年に）前回のツアーでいた人が、1列分ぐらいいないんです（中略）。ヒットして最大公約数のファンを得ることは、本当に好きな人を減らすんだな。これは覚悟しなきゃいけないときが来るんじゃないかな、って直感しました」と語っていた。

世間でいちばんの代表曲は「ありがとう」なのだろうが、まったく思い入れがない。あれより素晴らしい名曲が少なくとも50はあると思う。

歳月が流れて、20世紀末に僕は20代の終わりを迎えていた。恋人もなく、父の死や、まだ何者にもなっていない焦りに苛《さいな》まれていた。そしてある曲が突然甦《よみがえ》った。

東京で見た海は深いインクの色してた
1日かけてまわった街に飲まれて眠った
シャッター降ろした店　雑誌とちがったテナント
5時頃灯るタワーが低いビルに溶けてた

あんな町は何処にでもある

妹の文字　コーヒー滲む
だけどぼくは今もこの街で
この夜をなくしきれずにいる

誰とでもいい　話がしたい
だけど話すことが何もない
結婚もする　子供も作る
ありあまる情熱

力が欲しい　ぬくもりが欲しい
この街をあきらめたくはない
ケンカもするし　ダンスもおどる
変わらない情熱

アルバム『１２３４』の佳曲、シカゴの名曲「サタデイ・イン・ザ・パーク」のイントロをまんまオマージュした「サヴォタージュ」。一語一句、怖いほど言い当てられて、撃ち抜かれた。この曲をリリースしたとき、大江千里も20代の終わりを迎えていた。歌詞に自分を重ねるのは虫が良すぎるとはわかっている。しかし、すっかり千里を忘れていたはずが、高校生のときにすでに予言を受けていたのだと思うと、真夜中にひとり震えることもできず、部屋で小さくなった。

千里は一大ブレイクし、横浜スタジアムでライブをやったりもした。けれど間もなく賞味期限が切れると、自らの意思でファンクラブを解散し、ニューヨークに向かったという話は人づてに聞いていた。

数年前にテレビで、現地のジャズの学校に通っている様子を見た。ああ、この人はカッコいいなあと素直に思った。

そしてつい先日、２０１８年1月19日、渋谷ＨＭＶ＆ＢＯＯＫＳで、大江千里のインストアライブを観た。最後に千里のライブに行ったのは88年のＮＨＫホールなので、およそ30年ぶりに見るナマ千里。すっかりおじさんになっていた。そりゃそうだろう。あと数年で還暦を迎える。でもむかしより若々しかった。常に更新し続ける人の輝きがあった。

会場は千里とともに歳を重ねた女性でいっぱいだった。シンガーソングライターからジャズピアニストになった千里は3曲演奏した。ラストの「Rain」は今も多くのミュージシャンがカバーしている。

言葉にできず凍えたままで

人前ではやさしく生きていた
しわよせで こんなふうに雑に
雨の夜にきみを抱きしめてた

道路わきのビラと壊れた常夜燈
街角ではそう だれもが急いでた
きみじゃない悪いのは自分の
激しさを隠せないぼくのほうさ

肩が乾いたシャツ　改札を出る頃
きみの町じゃもう雨は小降りになる
今日だけが明日に続いてる
こんなふうに きみとは終われない

中学生、20代の終わりを通過して、僕も46歳の押しも押されもせぬおじさんになった。大江千里も、僕も、こんな風に日々が続いていく。

【２０１８年４月号】

vol.16

僕は時代の証人になれなかった

東京に生まれ育ち、毎日数多くのイベントがあるのを当たり前のようにして過ごしてきました。京都に移り住み、地方の人が東京を羨《うらや》ましがる気持ちを、齢《よわい》46にして初めて知りました。懺悔《ざんげ》します。私、贅沢に慣れきっており、それに幾分か捻《ひね》くれているため、誘われておきながら、あるいはチケットを入手しておきながら、歴史に残る興行に足を運びませんでした。怒って下さい。踏ん付けて下さい。許さなくていいです。反省の情とともに告白します。

見逃した！ 悔恨ベストテン

1位●エレファントカシマシデビューライブ（1988年9月10日渋谷公会堂）

これが今回この原稿を書く契機になったいちばんの理由かもしれない。高校生でした。ロッキング・オン・ジャパンがむちゃくちゃ推すのでファーストアルバムも発売初日に買いました。聴き込みました。チケットも買いました。なのに行かなかった。開演2時間前にクラスメイトの小林くんにあげちゃいました。その後吉祥寺バウスシアターとか五反田ゆうぽうととか武道館3000人とか、お客が最後まで椅子に座って観るライブを何度か経験していますがデビューライブに行かなかったことは末代までの恥です。

2位●YMO再生ライブ（1993年6月10日東京ドーム）

YMO10年ぶりの再結成。ビッグコミック・スピリッツでアリーナのチケットが当選しながら友達に売っちゃいました。「教授の額から汗が落ちるのが見えた」そうです。嗚呼。

3位●ザ・ブルーハーツ、ボ・ガンボス、憂歌団の対バン（1988年8月2日よみうりランド）

その年の2月にブルーハーツ初の武道館を観て踊りまくり、一緒に行った奴をまた誘ったのですが「そんな遠くまで行きたくねえよ」と断られて結局行きませんでした。エレカシのデビューライブのチケットをあげた奴です。小林くん元気ですか。あれ、1列目だったんですよ。死にたくなってきた。

4位●フィッシュマンズのライブ

佐藤伸治が亡くなった後に『宇宙 東京 世田谷』をヘビロテするようになったような僕はファンなどと名乗ってはいけない。前妻によくネタにされました。「音楽に詳しいフリをしておきながら、フィッシュマンズのライブ観たことないの⁉　私赤坂ブリッツのいちばん前で観たよ」。これが離婚の直接の原因ではないです。
5位●ザ・リバティーンズ（2002年8月18日幕張メッセ）
いっちゃんキレキレのときにサマソニに来たのに、同じハコでその後のパフィーを観ておきながら……。どんどん死にたくなってきた。
6位●新日本プロレス対全日本プロレス（1990年2月10日東京ドーム）
夢の団体対抗戦。興味がない人にはなんのこっちゃでしょうが。僕は受験生でした。結局全部落ちました。だったら行っときゃ良かった。長州ジョージ高野対天龍タイガーマスクとか未だにビデオ化DVD化されてません。
7位●浅草キッドの高田笑学校（2013年2月10日新宿紀伊國屋サザンシアター）
高田文夫先生プロデュースで何組かの芸人が出て、漫才やコントを披露する高田笑学校というイベントがあります。それまで水道橋博士から何度かお誘い頂いてきたのですが、長編小説の執筆が佳境を迎えていたためその回はお断りしました。翌日、ネットに衝撃的な写真が。博士が磯野波平みたいなハゲ頭になってるんです。最初の舞台挨拶ではいつも通りの髪型だったのに、シメの漫才では玉ちゃんも頭を剃《そ》って舞台に上がった。そのときのどよめきと大爆笑に、会場は倒壊しなかったのでしょうか。人生でいちばん笑える機会を逃してしまった。
8位●Ｔｈｅピーズ30周年記念武道館（２０１７年6月9日）
京都にいます。赤ん坊もいます。ほぼシングルファーザーの私には、長年大好きなバンドの記念すべき日に駆け付けたくても行けない日があるのです。
9位●スーパーカー解散ライブ（２００５年2月26日新木場スタジオコースト）
編集者だった僕はその日、ヒロミックスさんとお仕事をしていた。撮影が終わった後、「スーパーカーの解散ライブに行きましょうよ」と声をかけてもらったのに、「いや本当に好きで思い入れがある人だけ行ったほうがいいですから」とか言って断ってんの。アホ。ちなみにスーパーカーの東京初ライブは観てます。渋谷クアトロでいくつか出た中で、いちばん前で観ました。
すいません、このまま10位まで書いたら自己憐憫《れんびん》の果てに憤死してしまうので話を１８０度変えます。

見れて良かった！ ベストテン
1位●桜庭和志対ホイス・グレイシー（２０００年5月1日東京ドーム）
80年代から高まっていったプロレスによるリアルファイトの熱が頂点を極めた日。ＰＲＩ

DEトーナメント1回戦、15分6ラウンド目の終了後、ホイスのセコンドがタオルを投げて桜庭が勝利を収めた瞬間、同僚の森田くん（現『BUBKA』編集長）と抱き合いました。観客の大絶叫により東京ドームの屋根が吹っ飛び、それ以降屋外球場になったのはみなさんご存《ぞん》じの通りです。
2位●小沢健二（2015年3月29日世田谷文学館）
岡崎京子展のシークレットライブ。いちばん前のど真ん中、目の前から2メートルぐらいの至近距離で観ました。自分にとってこれを超えるオザワのライブはもうないでしょうね。
3位●大瀧詠一トークショー（2001年3月24日池袋新文芸坐）
リニューアルした池袋新文芸坐。高田文夫プロデュース。大瀧詠一は日活の『ギターを持った渡り鳥』の小林旭のコスプレで登壇。話の内容まったく覚えてないけど。
4位●大江千里（1987年3月11日武道館）
前回書きました。最高傑作『AVEC』ツアーのファイナル。サプライズに渡辺美里と名曲「本降りになったら」の再現デュエットは、武道館が火事になってもあそこまで叫び声が巻き起こらないと断言できます。映像か音声は残ってないのかなあ。
5位●えーっと、あとはもういっぱいありすぎるしスペースも足りないので思いつくまま同位で！

・岡村靖幸デビューライブ（１９８６年12月21日武道館）
・チャットモンチー東京初ライブ（２００５年下北沢２５１）
・フジファブリック（２００６年５月３日日比谷野音）
・エコーズ解散（１９９１年５月26日日比谷野音）
・エコーズ再結成（２０００年12月28日武道館）
・ザ・ブルーハーツ初武道館（１９８８年２月12日）
・グレート３、再活動ツアーファイナル（２０１３年２月８日恵比寿リキッド）
・新日本プロレス初の東京ドーム興行（１９８９年４月24日）
・ジャンボ鶴田対天龍源一郎、鶴龍最後の対決（１９９０年４月19日横文）
・三沢光晴、タイガーマスクを脱ぐ（１９９０年５月14日東京体育館）
・新日本プロレス対ＵＷＦインター（１９９５年10月９日東京ドーム）
・鶴田対三沢３度目のシングルマッチ（１９９１年４月18日武道館、全日本プロレス）
・ＢＯØＷＹ、ＬＡＳＴ ＧＩＧＳ（１９８８年４月５日東京ドーム）
・アンディモリ解散（２０１４年10月15日武道館）
・佐野元春（１９８７年９月15日横浜スタジアム）
・ゆらゆら帝国（２００１年５月20日日比谷野音）

・ナンバーガール（２００１年6月24日日比谷野音）
・ザ・ストリート・スライダーズ解散（２０００年10月29日武道館）
・レイジ・アゲインスト・ザ・マシーン（２０００年6月24日幕張メッセ）
・ボアダムス（１９９９年7月31日、フジロック）
・初のロック・イン・ジャパン・フェス、台風のため途中で中止（２０００年8月13日）
・井上陽水（２００２年7月27日フジロック）
・エミネム（２００１年7月29日フジロック）
・小沢健二とスチャダラパーによる池袋Ｐ'ＰＡＲＣＯオープンテープカット（１９９４年3月10日）

ああ、もう全然全然スペースが足りない。サニーデイ・サービスが一本も入っていないじゃないか。僕が人生でいちばん観ているライブは曽我部なのに。

素晴らしいライブをこんなにいっぱい観たのだ。悲嘆することなんかないよなあ。僕は幸福な目撃者だった。

【２０１８年5月号】

column

僕のサイン本見て下さい

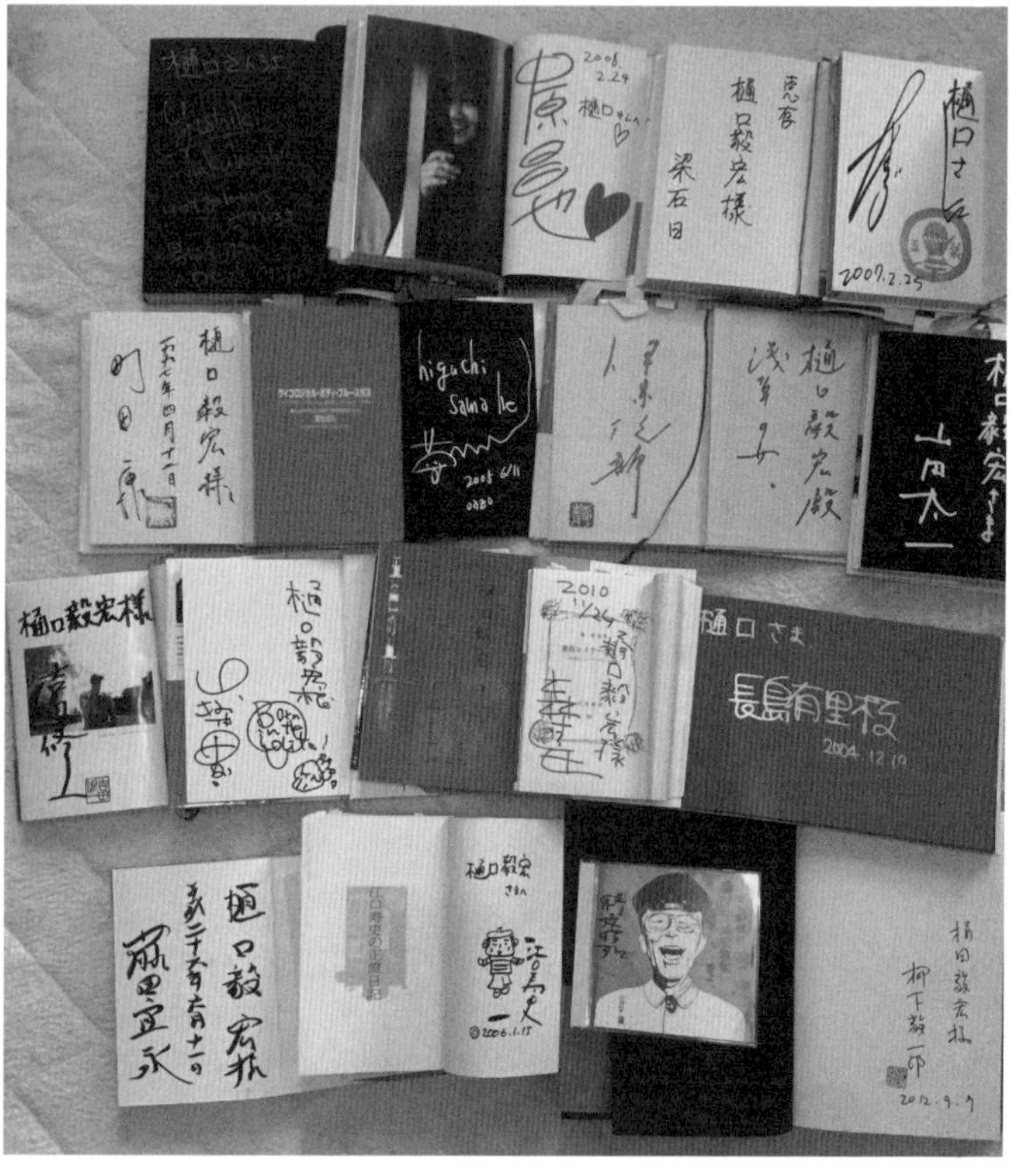

（上段左から）高橋ヨシキ、中原昌也、梁石日、玉袋筋太郎、町田康、菊地成孔、伊集院静、山田太一、吉田修一、嶽本野ばら、近藤ようこ、森達也、長島有里枝、藤田宜永、江口寿史、野坂昭如、柳下毅一郎。すべてサイン会に出向いていただいたところがミソ。『散歩の達人』2016 年 12 月号より。

樋口毅宏の引っ越し人生⑥ 京都

三輪記子と結婚し、子供を授かったため、弁護士業がメインの彼女の仕事場がある京都に引っ越した。齢《よわい》44にして初めて東京以外に住んだ。会社に通勤するわけでもなく、家でパソコンに向かえばできる仕事なので、ダイレクトに支障を来たすようなことはなかった。ひと足早く最新映画が観られるマスコミ試写と、東京でのみ行われるような小さなイベントに気軽に足を運べなくなったのはちょっと痛かったけど。

京都では中京《ながぎょう》区《く》柳馬場《やなぎのばんば》通《どおり》錦《にしき》小路《こうじ》下《さが》る瀬戸屋町４７１にあるマンションに住んだ（東京育ちの人間よ、京都ってこんなに長い住所が平均なんだよ。しかも読み方が関東と微妙に違う）。ここがいかに京都のど真ん中か、わかる人にはちょっと驚いてもらえると思う。完全に妻の趣味。京都のメインストリートのひとつである四条通りが家から出て1分とかからない。

同じく徒歩1分しない場所に錦市場がある。毎日ものすごい数の観光客で、コンビニに行くにも白人と中国人とすれ違わない日はなかった。

京都は歴史と現在が当たり前に混在する街だった。一本の通りにファストフード、数珠店（慶長8年〈1603〉創業）、小洒落《こじゃれ》た外資系カフェ、組紐《くみひも》店（文政9年〈1826年〉創業）、コンビニ、宇治茶専門店（享和3年〈1803〉創業）、マツキヨ、半衿《はんえき》や帯留《おびどめ》などの和装小物店（安永4年〈1775〉創業）、インドカレー屋、本能寺（あの本能寺！）がフツーに並んでいた。京都の人に、「浅草の老舗の店が明治創業」と話したら「最近やな」と笑われたことが何度かある。

ちょっと歩けば国宝や世界遺産とぶち当たるが、これまで会った京都生まれ京都育ちの人たちはひとりの例外もなく、「行ったことがない」「関心がない」だった。いけずぅ〜。

そう言う僕も正式に住所を移す前、東京と京都を往復していた頃こそもの珍しく、金閣寺や龍安寺や仁和《にんな》寺（これも一本の通り沿い。すべて世界遺産）などを観光して回ったが、住み着くようになると慣れてしまった。

京都はとにかく食べ物が美味かった。観光客向けのお店はダメだが、たいてい日曜日が休みで、長年地元の人たちに愛されている店はリーズナブルで最上だった。

関西出身の人が東京に来て、「こちらは高くてマズい店ばかりやな」とボヤくのを苦々しい気持ちで聞いていた。しかし今はそれがよくわかる。

これまで関東のツユ文化で育ってきたが、関西の出汁文化に目覚めてしまった。いわゆる〝おばんざい〟とか。いくらでもお店の名前を挙げられるようになった。めなみのおばんざい盛り合わせ。晴ルの蛸のやわらか煮。祇園山ふくのたらのこ煮、いわし山椒などなど。これまで東京でたいして美味くもないのに高いだけの煮物を食わされてきたかと思うと腹が立つ。

映画『夫婦善哉』で芸者の淡島千景が疲れ果てて帰宅すると、ヒモ同然の森繁久彌は家で一日中鍋に付きっきりで、山椒昆布を煮ているシーンが出てくる。森繁演じる柳吉がぼんぼんの道楽息子とわかるエピソードと思っていたが、あれは関西の人間が美味いもののためならそれぐらいやりまっせって話なんですね。ようやくわかりました。

京都で僕の人生のジャンル別美味《うま》いもん1位が次々と塗り変わっていった。
・おでん「だるまときんぎょ」南関あげ（熊本県産の油揚げ）と、注文が入ってからおでんのじゃがいもを潰して作るポテトサラダが白眉。惜しむらくは小さい子供お断り。
・冷やし麺「京都サカイ」醤油の冷やし中華で育った人間からすると、ゴマだれの冷やし中華にはハマらないと思っていた。これも自分の常識を根底から覆された逸品。
・親子丼「まるき」錦通りにある、この店の親子丼を何杯食べたことか。たまごのトロトロ加減が絶品。関東風の親子丼にはもう戻れない。

・スパゲッティ　「barq」（このお店のみ紹介制）。本当に美味い。本当に美味い。大事なことなのであと2回はコピペでなく書きます。本当に美味い。本当に美味い。宇宙のちょっとした弾みで地球の時空が歪み、時間が無限ループに入ったとしても、こちらのスパゲティを食べながらだったら、「あれ? 俺さっきからずっとbarqのスパゲティ食べてない? でもまあいっか」と思えるはず。永遠にbarqのスパゲティを食べる罰を受けたい。

他にも焼肉、すき焼き、中華、カレー、洋食、焼き鳥、甘味屋、ベジ・フレンチなど、次々と「美味いもんランキング」が更新されていった。

そして40を半ばも過ぎてようやく知ったことがある。みなさん、ここは試験に出るのでノートに赤線を引いて。

パン屋のゴールデンタイムは朝。

朝寝て昼に起きる生活を20年以上続けてきた。しかし子育てをするようになると、そんな生活ではもたなくなり、朝型に転向せざるを得なくなった。保育園まで歩いて20分の道のりで気づいた。京都は異常にパン屋が多いではないか。パンの消費量が都道府県で1位だという。保育園からの戻りに、片っ端からパン屋を回るようになった。開店直後だからパンが熱々で美味いこと美味いこと。こんな大事なこと、赤ん坊が生まれるまで知りませんでした。

フランス直輸入的な気取った店より、池袋タカセ育ちのため庶民的な町のパン屋さんが大好き。一店挙げろと言われたら迷わずマリーフランスのあんこいっぱいのあんぱんを挙げます。最強。

さて、さっきから京都メシ万歳！と快哉《かいさい》を叫んでばかりですがこれははっきり言う。京都は蕎麦《そば》がダメ。

てんで話にならない。美味い店の店主から「本当に美味いとこで食べたことないんじゃないの？」と言われてオススメされた店をだいたい食べたけどたいしたことない（第一蕎麦食うのに電車乗ったり遠出するなんてありえない。粋じゃないでしょ）。ざるそばのツユは黒い沼みたいなやつじゃなきゃダメ絶対。あの一本調子みたいな味がいいんです。

生涯蕎麦ワースト1位は祇園にある店。店頭に「着物のお客様へ ピアス・イヤリング・ネックレス着用の方は必ず外して入店して下さい。店主より」の能書き。冷やしおろし天ぷらを頼んだら、伸びた蕎麦、乾いて固い天ぷらで1630円。こんなナメた商売、東京じゃ絶対通用しないからな。嗚呼、若い頃あんなに侮蔑していた蕎麦について一家言持つクソオヤジに僕もなってしまった！

食べ物の話ばかりで申し訳ない。初めての子育てと産後うつの妻の言動に苛《さいな》まれ、食べる楽しみしかなかったんです。小説を書くのがこの世でいちばん大変なことだと思い込んでいたけど、子育ては比較にならないほどの重労働でした。妻が東京に出張で泊まりが多く、1

週間にだいたい2日は泣きやまない赤ん坊とふたりきりで過ごした。美味いものを食べてるときだけ不安から逃れることができた。碁盤のようなマス目の道、無限に続く十字路を、方向音痴の天才である僕は迷子になりながら店から店を彷徨《さまよ》った。

京都を舞台の小説を考えたけど、僕みたいなストレンジャーが来てカルチャーギャップを感じるような話でなければ書けないと思った。こんなに文化の深い地で、言葉ひとつ取っても東京と違うのに、付け焼き刃で書いたところで笑われるだけだと。

京都には2年半暮らした。初めて東京を客観的に見れた。差別主義者の「排除」都知事が東京オリンピックの号令の下で巻き込まれたくない。せめて2020年が終わるまでは京都で過ごしたいと思っていた。けれど妻は東京に戻ろうと言う。御主人様の命令には「はい」か「YES」しか許されない。

そうして2017年9月、僕は東京に戻ってきた。いつだって何でもあるけど、他人行儀で、だけど優しい街に。

【2018年6月号】

尾崎豊が死んだ日

vol.18

※おことわり。尾崎豊の歌詞から引用は一切ありません。「盗んだバイク」も「夜の校舎窓ガラス壊してまわった」もなし。「尾崎豊からの卒業」といったありがちな結論にも導かれません。あしからず。

僕は決して尾崎豊の良い聴き手ではなかった。だから彼のライブを一回も観たことがないし、26歳で急逝する前から彼のアルバムも聴かなくなっていた。

校内暴力が吹き荒れていた時代の終わりに尾崎はデビューした。あっという間に売れた。僕が中学生だった頃だったか、ユーミンのラジオ番組だったと思うけど（違っていたらごめんなさい）、「卒業ソングといえば？」のリスナーによるランキングで、尾崎豊の「卒業」が2位だったときは、「え、もうそんなに有名なの⁉」とびっくりしたことを覚えている。

いい曲はいっぱいあるけど、ずいぶんと甘えた歌詞だなと感じていた。これは僕の周りに限った話だが、同じ意見の人がわりと多かった。『J．BOY』をリリースして何度目かのブレイクを果たしていた、尾崎よりひと回り上の浜田省吾のほうを信頼していた。反抗の象徴である尾崎に反抗していたのかもしれない。

あのルックス、青山学院高等部中退、反逆のカリスマというわかりやすさにちょっと醒《さ》めていたのだ。

高校1年生のとき、学校の体育教師が尾崎の旧友で、尾崎のことを「豊」と呼んでいた。今では有名な話だが、尾崎のお父さんが自衛官であることを教えてくれた。

覚醒剤で逮捕されて釈放された後の、週プレとロッキング・オン・ジャパンのインタビューを読んだものの、よくわからなかった。だってタイトルキャッチが「ディスコミュニケーションの中でコミュニケーションが何なのか考えました」ですよ？　これに関わらず、尾崎の話は抽象的なものが多かった。

「夜のヒットスタジオ」の生放送で復帰して、「太陽の破片」を歌ったのをオンタイムで観た。尾崎がゴールデンタイムの歌番組に出たのはこれが最初で最後になった。

１９９２年4月25日（母親の誕生日だった）。そのときのことは克明に覚えている。実家のとんかつ屋でバイトをしていた。つけっ放しのテレビは夕方のニュースを流していた。馴染《なじ》みの客のお兄さんが呆気《あっけ》に取られた顔をしている。どうしたんですかと訊ねると、「尾崎豊が死んだそうですよ」と答えた。小さな画面に釘づけになった。典型的な表現で恐縮だが、時間が止まったように感じた。

その夜、生前の尾崎にインタビューをしたことがある筑紫哲也が「ニュース23」で、「正直なところ、私は（尾崎豊の急逝を）驚きませんでした」と、淡々と語った。同感だった。

毎日聴いていたTBSラジオ「サーフ&スノー」は、DJの松宮一彦が「明るく送り出してあげましょう」と、1時間の生放送をすべて尾崎の曲をかけた。この番組がどれだけ素晴らしかったか語りだすと止まらない。そして松宮一彦もこの7年後、悲しい別れを告げる。

次の日から尾崎の死はワイドショーで消費され、彼のアルバムが軒並みチャートの上位に返り咲いた。

尾崎が死んだからといって僕は泣くことなどなかった。ただ悔しかった。尾崎が若く死んだことで、彼の歌がすべて正しいことになってしまうからだ。

同時に不思議な感慨を覚えた。ジミヘン、ジャニス、ジム・モリソンのように、伝説のロックミュージシャンの夭折とは、自分が生まれる前の、歴史上の出来事だと思っていたから。尾崎の2年後に、カート・コバーンが27歳の若さで自分の頭を撃つ。昭和天皇の崩御やベルリン東西の壁崩壊という教科書に載る事件より、ふたりの死のほうが、自分は現在進行形の「歴史」を生きていると感じた。

尾崎の死後、フジテレビ全盛期の月9ドラマ『この世の果て』（野島伸司脚本、豊川悦司がブレイクした作品）の主題歌に「OH MY LITTLE GIRL」が使われたり、生前のライブ映像のコンサートが各地で頻繁に行われたり、彼の死が自殺説や他殺説でメディアを賑わしたり（「フライデー」には病院で救命措置中の惨《むご》たらしい写真が載り、「文藝春秋」には「先立つ不幸をお許し下さい」と誤字がある遺書が公開された）、トリビュートアルバムがリリースされたりと、永遠に語り継がれるのかと思いきや、以前より伝説は陰りを見せて、廃れていった。

極め付けは2012年の成人の日に、尾崎を俎上《そじょう》に載せた朝日新聞の社説だ。失笑を禁じ得なかった。無論、尾崎に罪はない。

社会人になって10年近くが経過し、自分の中で尾崎を葬ったと思っていた頃、担当していた芥川賞作家とカラオケに行った。彼女は僕に尾崎をリクエストした。尾崎なんて歌ったことがないのにことごと悉く歌えた。しかも自分で言うのも何だがわりと上手《うま》く、エモを込めて。あんなに否定していたのに尾崎のDNAが刷り込まれていたようだ。

いつも熱量だけで勝負しているエッセイなのにぬるい内容ですいません。白状すると尾崎豊を語る困難さを今さらながら知りました。永遠に歳《とし》を取ることをやめてしまったロックスターを美化せずに伝える難しさ。

先日大槻ケンヂがラジオで、「ぼく尾崎豊くんと同い年なんです。彼が生きていれば今年53歳なんですけど想像がつかないですね」と語っていて軽く面食らった。尾崎豊は26歳で逝き、それから26年が経った。その事実にどうしても驚愕《きょうがく》せざるを得ない。

尾崎が生き延びていたら今頃どうなっていたか。髪に白いものが目立ち、太って顔も丸くなり、深夜のバラエティ番組で芸人に、「この人むかしはカッコ良かったんですよー」とツッコまれていただろうか。

「大阪でライブが終わった後、深夜3時にマネージャーに『今すぐたこ焼き買ってこい！』って命令した話は本当ですか？」

「見城徹さんが言ってましたけど、角川書店の編集部に来て机の上に乗って『おまえらの給料のために働いているのかと思うと頭にくる！』って暴れたエピソードは？」

「ダイヤモンド✡ユカイさんの自伝に、尾崎さんが『ユカイさん、女のケツを3つ並べたことがありますか？』って訊《き》いた話は？」

「斉藤由貴さんに応援ソングを作りましょうよ！」

尾崎はアゴの下の肉をたぷたぷさせて笑う。突き出た腹で「15の夜」や「十七歳の地図」を熱唱する。——やっぱり想像がつかない。

尾崎豊は尾崎豊を演じていた。勝新太郎、高倉健、長嶋茂雄といったスーパースターが、求められるヒーロー像を演じていくうち、総じて素の自分が無くなっていくように。あるスタッフが言うには、生前尾崎は「こうやると尾崎っぽくないですか?」などと客観的に分析しながら作品を手がけていたという。尾崎豊は尾崎豊のイメージに殉死した。若者の代弁者も、ドラッグで捕まることも、早すぎる死も、言葉は悪いけど、尾崎の過剰なまでのサービス精神だったと思う。

今回久し振りに尾崎豊を聴き返してみた。彼が生きている間は気恥ずかしくて否定していたのに、ほぼ全曲口ずさめた。今さらながら尾崎は稀代の天才シンガーソングライターだった。

尾崎豊が生き延びていたら——若死にしてれば伝説になっていたのに——と、こちらに皮肉屋を気取らせてほしかった。手っ取り早いレジェンドになるより、生きていてくれたら良かった。虫がいい話だとわかってはいるけれど。

【2018年7月号】

vol.19

僕は渡辺美里と結婚したかった——80年代日本ポップミュージック考

いまの若い人たちは渡辺美里を知っているだろうか。「渡辺」で検索したら予想変換で渡辺麻友、渡辺謙、渡辺美優紀、渡辺喜美、渡辺直美の後にようやく出てきた。よござんす。平成生まれの『散歩の達人』読者（いるかな？）に、渡辺美里を熱く語りましょう。

１９８５年、渡辺美里は高校卒業とほぼ同時にデビューした。もっ、初めて見たときからめちゃくちゃ可愛いと思ったね。こちらは中学２年生で、５つ上の美里がまぶしくて仕方がなかった。当時、美里はＴＢＳラジオで深夜１時から「スーパーギャング」というパーソナリティーが日替わりの帯番組で月曜日を担当していた。他愛《たわい》のない話ばかりなんだけど、キュンキュンしながら聴いていていた。

今で言うと10代の女の子が菅田将暉くんのラジオを聴くような感じかなあ。ルックス良すぎ・実力ありすぎの憧れの先輩と深夜に繋《つな》がっている、みたいな。美里と同じ時間にニッポン放送は中島みゆきのオールナイトニッポンで、どっちも聴きたいから困った。

なんと言っても渡辺美里の人気を決定づけたのは86年のシングル「My Revolution」だった。作詞家の川村真澄さんによるものだが、この後の美里の路線を確定させた。TBSラジオ「サーフ&スノー」でDJの松宮一彦が「本当の名曲」と語っていたのを思い出す。タイトルはTHE WHOのオマージュだけど、当時の僕は知らなかった。

そして「My Revolution」を含めた2枚組アルバム『Lovin' you』をリリース。もちろんオリコン1位。その夏に西武球場でライブ。美里はまだ20歳になりたて。もう大騒ぎだった。とにかく美里の初期はすべてが名曲だった。この頃作詞作曲に関わっていたのが小室哲哉、デビュー前の岡村靖幸、大江千里、白井貴子、木根尚登、佐橋佳幸、伊秩弘将（のちのSPEEDのプロデューサー）という豪華絢爛《けんらん》さ。だから売れた？ それだけじゃない。時代がむちゃくちゃ良かった。バブルへと突入する前の好景気に、現代と比較にならないほど社会の空気が明るかった。中高生もおこづかいで音源を買える枚数が増えていった。当然限界があるのでレンタルレコードショップ友&愛で借りた。

音楽雑誌の影響がどれだけ大きかったか。ソニー・マガジンズの『PATi PATi』、『PATi PATi ROCK 'n' ROLL』、『WHAT's IN？』、『GB』などが飛ぶように売れた。『PATi PATi』

89年7月号（創刊5周年記念特大号）なんて、表紙が美里はもちろん、美里の実物大の顔のグラビアが20ページですよ。みんな買った。でも今はすべて休刊。

レコードからCDへとハードが差し代わり、日本のポップミュージックが大きく変わろうとする転換期だった。佐野元春という神を筆頭に、米米CLUB、バービーボーイズ、TMネットワーク、ハウンドドッグ、ちょっと遅れてザ・ブルーハーツ、レベッカ、BOØWYなどなど。これがバンドブームへと続いていく。

いつしかシンガーソングライターやバンドマンはアーティストと呼ばれるようになった。はっきり書くと「既成のアイドルでは満足できない多感な子たちの受け口」になった（でも実はアイドルなんだけど）。ザ・ベストテンのような歌謡曲を中心としたそれまでの歌番組では魅力を伝えきれない、新しい音楽の価値観を持った人たちが次々とブレイクしていった。

先ほど挙げたミュージシャンたちは、若い人だけでなく、僕のような40半ばを過ぎた団塊ジュニアの世代からしても、あまりに売れすぎたため、いまでは失笑の対象かもしれない。でもね、東京生まれ東京育ちにもかかわらず真性ダサ男の僕からすると、ワクワクするようなチャートアクションとムーブメントが頻繁に起こっていったんですよ。

そして声を大にして言いたいのは、現在まで綿々と続く音楽シーンに、渡辺美里の貢献はめちゃくちゃ大きかったってこと。アイドルとアーティストの端境にいるような存在のパイオニアと言ってもいい。渡辺美里がいなかったら、その後のプリンセス・プリンセスも、森高千里も、宇多田ヒカルも、椎名林檎も、木村カエラも、西野カナもなかったと断言する。彼女たちの共通点はルックスが良く、自分で歌を作り、新しい世代のアイコンだということ。

これは僕と同世代の宇野維正さんも『1998年の宇多田ヒカル』で同じようなことを書いていたから間違いない。中腰の姿勢で歌う15歳の天才少女は突然現れて瞬時に世間から受け入れられたように思えるけど、それまでの地ならしをしたのは美里なのだ（もちろん美里の前にもユーミンという偉大すぎる先人がいるが、語ると長くなるので稿を改めたい）。

渡辺美里とは何だったのか？

個人的な見解だが、美里は実にテレビに似合わない人だった。夜のヒットスタジオに出演したとき、高校時代にマネージャーを務めていたラグビー部のメンバーがサプライズで現れたときの露骨に嫌そうな顔が忘れられない（のちに司会の古舘伊知郎がラジオで、渡辺美里が怒っていたと暴露していた）。

痛いまでに生真面目な歌詞の数々。ファンは歌詞に美里と自分のイノセンスを重ねた。忘れられないのは93年の「事件」。その年7月1日にシングル「ＢＩＧ ＷＡＶＥやってきた」をリリース。サビの「ＢＩＧ ＷＡＶＥ 光る海に連れだして（略）悲しみは砂に埋めて 急げＢＩＧ ＷＡＶＥやってきた」が印象強い。しかし直後の西武球場ライブで美里はこの曲を歌うことはなかった。7月12日（美里の誕生日！）、北海道南西沖地震により津波や火災が起こり、200名以上の死者が出たからだ。自分がこの悲惨な自然災害を起こしたのではないか？と、美里のことだから背負い込んでしまったのは容易に想像ができる（同じケースとして3・11以降、サザンが最大のヒット曲「TSUNAMI」を封印している）。

常に美里はファンの前では偽らなかった。しかしデビューから10年後あたりからセールスが低下し、毎夏恒例の西武球場ライブ（僕ももちろん行ったことがある）の動員も苦戦するようになった。人気稼業の常とはいえ寂しかっただろう。

これは拙著『アクシデント・レポート』にも書いたが、佐野元春がどうして人気がなくなったか？と言うと、「つまらない大人にはなりたくない」という象徴的なフレーズを挙げて、現代では「大人にならなくてもよい時代になった。だから元春は時代から取り残された」と僕は喝破した。同じように、やはり美里の名フレーズ「死んでるみたいに生きたくない」も、現代では「死んでるみたいに生きて何が悪い？」に変わっていった。こんな時代に渡辺美里がトップランナーでいられるだろうか。渡辺美里がオーディエンスを失ったのではない。オーディエンスが渡辺美里を失ったのだ。

それにしても中高の僕は、「渡辺美里はどうして大江千里と結婚しないんだろう？」と、かなり本気で思っていた。85年「悲しいボーイフレンド」（作詞作曲大江千里）、86年デュエット曲「本降りになったら」（作詞作曲大江千里）、88年「10years」（作詞渡辺美里、作曲大江千里）、91年「夏が来た！」（作詞渡辺美里、作曲大江千里）。

極め付きは89年「すき」（作詞渡辺美里、作曲大江千里）。しかもサビはふたりでハモるんですよ。一連の超名曲群を聴いていれば、そう思っていたのは僕だけではなかったはず。

まだ着いていないのに きみが見えるよ
逢えない淋しさのぶんだけ
ああ 息もできないくらい 胸が熱くなる
あの頃のぼく達は夢中になりすぎて
幼さと無邪気さの違い 気づかずにいた
ああ 今のきみとぼくは
友達じゃ終われない
流れていく歳月を見送りたくはない
二人にはさよならのキスはにあわないよ

誰かを傷つけてもはなれられないよ
やせちゃったきみ
きみに伝えたい All my lone

千里なら美里をまかせられる。そう信じていた。そうだね、ティーンの僕もイノセンスだったのだと思う。

【2018年8月号】

〈追記〉そして2019年、渡辺美里のニューアルバム『ID』は「すきのその先へ」がフィナーレを飾る。作詞は大江千里、作曲は有賀啓雄（「あと1センチ傘が寄ったら」は名曲！）。「すき」の30年後が描かれている。泣いたよ。そりゃ泣きましたよ！

vol.20

「エコーズが好きでした」と告白することは罪ですか?

人は誰でも本当に好きなものについて語る勇気を持っていない。「好きな映画は何ですか?」と訊《き》かれると、「やっぱりゴダールかな。ヴィスコンティもいいですよね」なんて答えたりする。間違っても「三谷幸喜っす」なんて正直に言わない。バカだと思われるし、「あいつセンスない王」を頂戴したくないから。

でも僕も読者のみなさんもわかっているはず。「胸を張って好きと公言できないものこそ本当に好きなものだ」と(英語で「Guilty Pleasure」と言うらしい)。

ああ、僕にとってそれはエコーズかもしれない。知ってますか? 今は作家の辻仁成が80年代にやっていたロックバンド。全作詞作曲は仁成。ギターは明らかに80年代最高のギタリストのひとり、U2のエッジの影響下。暑苦しい歌詞、むさくるしいライブ。そして名曲の数々。

大好きでした。

どれぐらい好きかというと、ライブは渋公（少年サンデーのチケプレで当たった）に、最初の武道館、野音の解散、再結成の武道館も行ったぐらい。僕が音楽ライターだったら「ダサい奴」の烙印《らくいん》を押されて干されるだろう。だからどうしたって言うんだ。

デーモン小暮の流れから、月曜深夜3時は辻仁成のオールナイトニッポンを聴いた。時報と同時にAerosmithの「WALK THIS WAY」のイントロが鳴り響き、仁成による真夜中の切り口上がシャウトする。


ハローハロー、ディス・イズ・パワーロックステーション！

真夜中のサンダーロード、今夜も抑え切れないエネルギーを探し続けているストリートのロックンロール・ライダー！

夜更けの硬い小さなベッドの上で愛を待ち続けているスウィート・リトル・シックスティーン。愛されたいと願っているパパも、融通のきかないママも、そして、今にもあきらめてしまいそうな君にも、今夜はとびっきりご機嫌なロックンロールミュージックを届けよう。

アンテナを伸ばし、周波数を合わせ、システムの中に組み込まれてしまう前に、僕の送るホットなナンバーをキャッチしておくれ。
愛を！ 愛を！ 愛を！
今夜もオールナイトニッポン！

どーですか。熱いでしょう。おかげで当時高校生の僕は火曜日の授業中ずっと寝てました。エコーズは1985年のデビューから90年までに7枚のアルバムをリリース。特に4枚目『Goodbye gentle land』が大傑作。「エコーズってどんな音楽をやってるの？」と興味を持ったらこのアルバムを聴いてみて下さい。アルバムタイトル曲「Gentle land」は名フレーズの嵐。

Ah, 友達をいつも蹴落とすことばかり教え込まれてきた
Ah, この街の中じゃパパだってどうだか分からない Big City Rule
からかわれた時 嫌がると
次はターゲットになるから
胸をはって歩いていたい
Spirits of Gentle Land

Ah, TVをつけると
悪口ばかりですなおには笑えない
Ah, あふれるゴシップ
ぼくらはだんだんやなやつになっていく
電車にはられた広告が
その日の話題じゃ寂しすぎる
胸をはって歩いていたい
Spirits of Gentle Land

愛されたいと願っている
ぼくは真夜中のキッチンで
おなかを空かせて立っている
誰もが真夜中のストリートで

どうだ、これがエコーズだ。おじさんになって物忘れが激しいのに、頭の中に歌詞が全部残っている。もう泣きそう。

6枚目の『Dear Friend』はオリコンベストテンにチャートイン。これも名盤。シングル「ZOO」が世間的にはいちばん知られている曲ですが僕はそれほどでもないです（我ながらヒネくれたマニアっぽい言質）。

もっともっと売れていいはずなのにエコーズはいまいち売れなかった。なんでか？ 同時代に尾崎豊がいたせいだ。完全に割りを食った。尾崎のほうが圧倒的に「若者の代弁者」「反逆のカリスマ」然としていた。ルックスでは大負けだった。尾崎のほうが歌詞もわかりやすかった。エコーズはリスナーに考えさせる歌詞が多かった。尾崎豊に関わらず信者レベルのファンって、聖書を一語一句信奉するキリスト原理主義者のように歌詞を盲信するけど、エコーズはファンを試すように、容易に甘受できない歌詞も多かった（スペースに限りがあるため引用しないけど「ピーナッツ・バターの海に沈めて」の歌詞を読んでみてほしい）。

辻仁成は89年に『ピアニシモ』により、すばる文学賞でデビューする。これは名作だし、僕が教師だったら夏休みの課題図書感想文のリストに必ず入れるだろう。『クラウディ』、『カイのおもちゃ箱』、『旅人の木』あたりまで、文芸誌『すばる』の最新号を楽しみにしていた。

しかし僕もどんどん洋楽を聴くようになり、手当たり次第に本を読むようになると、自然と仁成から離れていった。卒業したのかもしれない。

でも辻仁成を小馬鹿にする人を見るといまだにカチンとくる。確かに仁成は揶揄《からか》いやすい。

やれ「南果歩と中山美穂の元ダンナだ」とか（伊集院静も女優と2回結婚した作家なのにこの扱いの違いはなぜだろう）、「なんだあのサラサラヘア。還暦目前にしてルックスが気持ち悪い」とか、「芥川賞なんてたいしたことない。だって辻が取ってんだぜ」（↑嫉妬の裏返しですね）とか。

でもね、そんな人たちには言ってあげたい。「仁成を笑うものは仁成に泣く」と。だってこんなにはちゃめちゃに生きている人いないよ。バンドやって作家やって映画監督やって（その作品のレベルはさておき）パリに移住して結婚3回失敗して子供に弁当作って。退屈なあなたにはできないでしょ？

結論。「あなたにとってエコーズとは何ですか？」と訊かれたら、僕の答えは決まっている。「青さ」だ。振り返るにはちょっと気恥ずかしい。だけど永遠に消えないんだ。

【2018年9月号】

〈追記〉このゲラを校正している最中、エコーズのドラマー今川勉さんが亡くなったというニュースを聞いた。思えば2000年の再結成ライブのときも1曲だけ参加したが、かなりやつれていらした。今川さん、エコーズをありがとうございました。ゆっくり休んで下さい。合掌。

vol.21

『タッチ』とは『あしたのジョー』である

今回は思い出を振り返る感じではなく、ちょっと評論家めいた感じでお送りします。

1981年夏、少年サンデーであだち充の『タッチ』が連載を開始した。ジャンプとサンデーを毎週愛読していた10歳の僕は、第1回から『タッチ』にハマり、コミックス第1巻を発売初日に買った。

あだち充の作品が大好きになり、ビッグコミックで連載中の『みゆき』の単行本を揃え、フラワーコミックスの『陽あたり良好！』も買い集めた。これは当時の小中高生は男女を問わず、あるあるなことだった。もう、本当にあだち充は大変な人気だった。読んでいない10代などいなかったと思う。

マンガが大ヒットして、すぐにアニメ化されたと思っていたが、調べてみたらサンデーで連載して3年半も経ってからだったんですね。今でこそ『タッチ』はマンガもアニメも歴史にその名を刻んでいるが、おっさんになった今振り返ってみると、よく成功したなと思う。

だって原作からして登場人物のセリフが少ない、思わせぶりな間が長い、主人公が「好き」って言わない、ヤラない（当時は初体験の低年齢化が進んでいた）、背景画が多い（しかもそれが登場人物の心理描写という、受け手のリテラシーの高さを求められた）。

アニメでは、当然これらを動く画で見せなければいけない。岩崎良美による主題歌、日高のり子による浅倉南の声といった勝因をあげられるが、あの独特すぎる世界観をアニメというフォルムに見事に落とし込んだ杉井ギサブロー演出の凄《すご》さよ。

話は逸《そ》れるけどマンガがヒットしたのにアニメが失敗したせいで、もう一段上の全国区に上がれなかった作品として真っ先に思い浮かぶのは『ゲームセンターあらし』と『行け！稲中卓球部』じゃないでしょうか。アニメ化って難しい。

ちなみに『ドラえもん』は1973年に日テレで一度アニメになっている。79年テレ朝でスタートした第1回はもちろんオンタイムで観ている。のび太と仲間たちがガリバートンネルを使って小さくなり、家の箱庭に自分たちの街を作り、指を鳴らして踊る。原作にはない。7歳の僕にはそれが『ウエストサイド物語』のオマージュだとはわからなかった。

あれ、何の話をしてたっけ？　とにかくあだち充にどっぷりと浸かり、『ドラえもん』をガキッぽいと見向きもしなくなった。

で、僕が小6ぐらいか、『タッチ』最大の事件が起こる。主人公双子の弟、上杉和也の死だ。あれには度肝を抜かれた。30年経っても電グルの石野卓球が「きれいな顔してるだろ。死んでるんだぜ。それで…」と何度となくパロディにするほどインパクトは強大なものだった。

上杉和也と力石徹の死が、日本マンガ史上、衝撃の急逝ベスト2ではないだろうか。先日出版されたばかりの『あだち充本』（小学館）によると、編集部は和也を殺すことに大反対で、「和也を海外に行かせろ」などと主張したらしい。しかしあだち充と当時の担当は強行する。

一応作家になった今の僕にはわかる。あだち充は恐ろしく冷徹な視線で『タッチ』を描いていたと。連載スタート時から和也を殺し、読者を裏切ることでブレイクする計算を立てていたと（本人もインタビューで認めている）。編集部には怒りと涙のクレーム電話が殺到したらしいが、ネット全盛の現代だったらさらなる大騒ぎに発展していただろう。ツイッターには「#和也死んだ」のタグができ、トレンドが関連ワードで埋め尽くしたのではないか（カインとアベルに喩《たと》える人がいるけど、『タッチ』を神棚に上げたいのだと思う）。

僕はてっきり『あしたのジョー』（補足として書いておくと少年マガジンで1968〜73年に連載）の影響かと思っていたら、『あだち充本』にそのことは触れていなかった。

あだち充は1970年に『消えた爆音』でデビューしたが、今とはまったく違う劇画調で、鳴かず飛ばずの時代が10年続いた。本人も「熱血マンガは好き」と発言している。皮肉なことに、梶原一騎、川崎のぼるといった熱血マンガの時代の終焉《しゅうえん》とともにラブコメのあだち充は頭角を現していった。

「度肝を抜かれた」と書いたばかりだが、『タッチ』で僕が和也の急逝より驚いたのは最終回だ。双子のダメ兄上杉達也は和也に代わり、南の夢を叶えようと甲子園を目指す。高3の夏、ライバルの新田に勝ち、遂に悲願を果たす。甲子園球場には地方大会を勝ち抜いた猛者たちが開幕前から達也をマークし、次々と名乗りを上げていく。さあこれから『タッチ』史上最高の盛り上がりになるぞ！と思ったら、次回はいきなり最終回。達也たちの淡々とした日常が描かれる。そしてラストシーンは甲子園優勝を記念した皿が写る。ちなみにその皿には歴代担当編集者の名前が連なっている。

こうして5年間に及ぶ連載、全26巻のストーリーは唐突に終わりを告げる。超省略の技術。まさに「高校野球マンガを終わらせたラスト」だった。

あんなエンディング、ジャンプだったら絶対に許されなかっただろう。本宮ひろ志の『男一匹ガキ大将』のように、作者が「完」を入れた後で編集者がホワイトで消したはずだ。でもあれって今考えるとあだち充なりの批評なんですよね、それまでの高校野球マンガに対する。「和也が死んでから面白くなくなった」と読者に言わせないため、あだち充は粉骨砕身した。

これも『あしたのジョー』と同じ。寺山修司と東由多加が音頭をとった力石の葬儀の後、原作者の高森朝雄（梶原一騎）が作画のちばてつやに「これからが大変だぞ」と覚悟を決めた。その後カーロス・リベラやホセ・メンドーサといったライバルと戦い、ラストの真っ白な灰になることで「力石の死」超えを果たす（ご存《ぞん》じの方も多いように、梶原一騎の原作と違い、ちばてつやが考案した）。

ジョーのように永遠に語り継がれるラストシーンにするため、あだち充はあの優勝皿を描いた。やっぱり『タッチ』は80年代の『あしたのジョー』なんですよ。はあー、30年以上思い続けていたことを書いてすっきりしたわ。

最後に。あだち充は和也の死についてこう語っている。

「実際に和也が死んでしまった後は悩みました。彼が死んだ後に暗くなってしまうのは絶対に嫌で、とにかく日常に戻したかったんです。だって、リアルな現実だって、どんなに哀しいことがあっても日常は続いていくものでしょ？　だから、一刻も早くギャグのできる日常に戻したくて、悩んだ記憶はありますね」

ギャグのできる日常――。実はこれ、『タッチ』に限らず、あだち充作品に通底するテーマではないだろうか。

【2018年11月号】

vol.22

男の子はみんなジャッキー・チェンになりたかった

ちょっと前にトム・クルーズの『ミッション：インポッシブル』最新作を観たんですよ。トムクルがスタントマンにまかせず、自分で危険なアクションを演じていて凄《すご》かったです。映画批評家の町山智浩さん曰く、「世の中には〝ジャッキー・チェン〟という仕事がある。それをいまやっているのはトム・クルーズだ！」。なるほどー。

ジャッキー・チェンといえば、１９７１（昭和46）年生まれの僕は直撃世代です。ジャッキー・チェンとスティーブン・スピルバーグがいたから男の子は映画館に通ったようなもんで。ブルース・リーではないんですよね。世代的には関根勤さん（１９５３年生まれ）がそうです。『燃えよドラゴン』が日本封切り時に（ブルース・リーはすでに亡くなっていた）、病弱の関根さんを心配したお兄さんが元気を出すようにチケットをくれた。関根さんはブルース・リーに魅了されて、劇場で3日間連続15回観たエピソードがあったはず。

もちろんブルース・リーはみんな観ているけど、子供の僕は悲壮感のブルース・リーより、コミカルなジャッキーが大好きでした。

初めてジャッキー作品を観たのは、土曜日のフジテレビ、ゴールデン洋画劇場。解説は高島忠夫。確か9歳か10歳のとき、『ドランク・モンキー 酔拳』を途中から観て、あっという間に虜になってしまった。石丸博也さんの吹き替えもバッチリでねえ。

これ以後テレビで、映画館で、どれだけジャッキーを追いかけたことか。徒然《つれづれ》なるままに挙げていきます。

TBSの月曜ロードショー、解説は荻昌弘。『拳精』を録画して、帰宅すると毎日観た。『ヤング・マスター』、やはりゴールデン洋画劇場。

『少林寺木人拳』や『バトルクリーク・ブロー』あたりはレンタルビデオだったかなあ。他にも日本未公開のジャッキー初期主演作品をTBSが立て続けに放映した。

『ロードショー』だったか『スクリーン』だったか、付録にジャッキーの生写真を付けたり(もうひとりはソフィー・マルソー)、増刊号が出たりした。もちろん買いましたとも。当時2歳ぐらいの妹が羨ましがるから貸してあげたらおねしょでビショビショにされた。

『キャノンボール』はテアトル池袋(家から歩いて5分だった)で。同時上映はブルック・

シールズの『エンドレス・ラブ』。

『ドラゴンロード』は池袋東宝。

『カンニング・モンキー 天中拳』は池袋日勝文化か日勝地下。同時上映は鈴木則文監督の『伊賀野カバ丸』。

『蛇鶴八拳』は池袋東映（フロアでおとなのオモチャの自販機があった）。

『キャノンボール2』は池袋スカラ座の行列に並んでいたところで前売り券をパクられた。

サモ・ハン・キンポーとユン・ピョウ共演の『五福星』は失念。

『プロジェクトA』は池袋テアトルダイヤ（死ぬほどスクリーンが小さい）。あのですね、ジャッキーがもっとも優れている点は、自分のアクションがどうやればいちばん良く観客に見せることができるか熟知しているところなんですよ。顕著なのは『プロジェクトA』の時計台からの落下シーン。時計の針から手を離し、テントで何度も体が反転し、衝撃を和らげつつも、頭から地べたに落ちる。しかもそれをわざわざ2回やる。本作がストーリーもアクションも最高傑作。

『スパルタンX』（日本版主題歌は後に上田馬之助の入場曲に一瞬使われ、さらにその後三沢光晴の定番入場曲になった）、『ポリスストーリー 香港国際警察』、『サンダーアーム 龍兄虎弟』（撮影中に崖から足を滑らせ、スポーツ紙にデカデカと〝頭蓋骨骨折〟〝引退〟と書かれたときは目の前が真っ暗になった）、『プロジェクトA2史上最大の標的』、『サイクロンZ』……うーん、どこで観たか思い出せない。

この他にも池袋日勝地下で常時ジャッキーの二本立て、三本立てが公開されていて、足繁《あししげ》く通った。５００円ぐらいだったと思う（さっきから記憶のみで書いております。「違うぞ」というあなた。あなたのほうが正しいです。それにしても勉強は全然できなかったのにどうしてこんなことばかり覚えているのだろう。）

ところがですよ。90年代に入ると、ぴたっとジャッキーを観なくなってしまった。『奇蹟 ミラクル』も『ツイン・ドラゴン』も『シティーハンター』も、ハリウッドに進出してから『ラッシュアワー』やリメイク版『ベスト・キッド』といった話題作も軒並みスルーしてきた。

言い訳ですけど20歳ともなるとホラ、思春期ですからカブれるわけですよ。フェリーニとかゴダールとか小難しいやつに。全然わかんないくせに。少年の心を忘れて、つまらない映画オタクになり、ジャッキーから離れていってしまったのです。

ジャッキー以降の香港映画も発展を遂げていった。『男たちの挽歌』シリーズのジョン・ウー、『恋する惑星』や『ブエノスアイレス』のウォン・カーウァイ、『ザ・ミッション 非情の掟』（この年のベストムービー。新宿武蔵野館のレイトショーで観た）や『ブレイキング・ニユース』のジョニー・トー、『少林サッカー』のチャウ・シンチー、そして『インファナル・アフェア』3部作。新世代の台頭によりジャッキーも以前ほどの輝きは消えたかのように見えた。

一方で僕も映画を勉強していくうち、色々とわかっていった。ジャッキーの元ネタはバスター・キートンだったとか、『ドラゴンボール』の戦闘シーンに影響を与えているなとか、そのむかし日本の某アイドルがジャッキーとベッドでコトを終えた後、「ジャッキーは奥さんいるの?」と訊《き》いたら、「ワタシニホンゴワカリマセーン」って返されたとか。

その他にも80年代に香港映画は脚本がなかったのは先に海賊版を作られないようにするためだって聞かされてきたけど、実は貧しい家庭で育ったジャッキーが字を読めなかったからとか。考えてみれば香港アクション映画にストーリーらしいストーリーなどない。

近年は中国共産党寄りのため、一緒にごはんを食べたYOSHIKIまで怒られたり、同性愛者の娘さんがジャッキーから結婚を認められないためカナダ人女性と現地で挙式したり、ホームレスになったり。

色々やりますが、ジャッキーは東日本大震災のときには260億円(!)も寄付してくれました。今年はアカデミー賞で名誉賞ももらいましたね。僕の中で確実にジャッキー再評価の機運は高まっていった。

そしてほぼ30年ぶり（時間かかりすぎ）にジャッキー・チェンの映画を観たのです。最新作『ポリス・ストーリー／REBORN』。

さすがにおじいちゃんになったなあと思ったのも束の間、還暦を過ぎても相変わらずアクションは第一線で、ジャッキーはジャッキーのままだった。演技派に転向することも政界に進出することもなく、一生をアクションに捧げている。

ジャッキーを観るとジャッキー・チェンに憧れていた男の子に戻れるのだと思いました。恒例のNG集ではスクリーンが滲《にじ》んで見えたのです。

ジャッキー、最高！ いつまでもがんばって‼

【2018年12月号】

vol.23

When I was young, I'd listen to the radio

ラジオの深夜放送を聴き始めるのが思春期の入り口だと思う。ということは僕の思春期は中学生のときに始まったことになる。早くもなく遅くもなく、ちょうどいい感じだ。

ニッポン放送は深夜1時からオールナイトニッポン（以下、ANN）の1部。3時から2部。TBSラジオは深夜1時からスーパーギャングを、それぞれ日替わりのディスクジョッキー（今は「パーソナリティ」と呼ぶ）で放送していた。

月曜日。中島みゆきのANNを初めて聴いたときは自分の耳を疑った。中島みゆきはNHKの「プロジェクトX」以降、「頑張って生きる人を励ます国民的応援歌を歌う人」みたいな感があるが、当時は「暗いシンガーソングライター」というイメージが定着していた。だから周波数を1242に合わせたとき、陽気な声が聞こえてきて、思い描いていたものと違いすぎて戸惑った。ハガキを読まれた人には中島みゆきとの握手券がもらえた（しかしどこで中島みゆきを見かけることができるというのか）。自分の歌の替え歌もよくやっていた。シングル「見返り美人」のサビ部分「♪アヴェ・マリアでも呟きながら〜」のところを、「♪竹内まりやでも結婚できたのに〜」という歌詞を送ってきたリスナー（80年代にはこんな言葉はなかった）には感心した。

同じ月曜日、TBSラジオは景山民夫だった。まだ直木賞作家になる前。ここでは書けないようなブラックジョークが多かった。

火曜日。ANN1部はとんねるず。同級生はそちらばかり聴いていたが、あまりにも意地悪な内容や差別ネタばかりで嫌いだった。捻《ひね》くれ者なので西川のりおのスーパーギャングを聴いていた。

水曜日。ANN1部は週刊プレイボーイの名物編集者・小峯隆夫。東海大学なのに集英社に入れたのは、入社の面接でミリタリーファッションで決めたという記事を読んで、さもありなんと思った。とにかくデタラメな人だった。ジェームズ・キャメロン監督と仲良くなって『ターミネーター2』にワンカット出演している。序盤のシュワルツェネッガー演じるT800と、T1000がエドワード・ファーロングを巡って通路で奪い合うシーンで、巻き添えにあって撃ち殺される役。

小峯は1年ぐらいで終了するが、のちに水曜2部で復活する。小峯隆夫のANNを宣伝する企画コーナーがあって、無茶《むちゃ》なリスナーが、野球場の迷子の案内で「小峯隆夫のANN様を捜しております」とアナウンスさせようとして関係者にムッとされて、それでもウグイス嬢に「小峯隆夫様を捜しております」とコールさせる一部始終を流した。今だったら世間からバッシングされて番組は強制終了だろう。大らかな時代だった。

水曜日の続き。小峯隆夫から小泉今日子に変わったがまったく聴かず、コサキン（小堺一機と関根勤）のスーパーギャングが鉄板だった。くだらなすぎて最高だった。覚えているネタが多すぎてここに書ききれないぐらい。先日マスコミ試写会でたまたま小堺さんが隣の席になり、「コサキン大好きでした！」と伝えられて良かった。

水曜日のANNがキョンキョンから大槻ケンヂに変わるとよく聴いた。当時筋肉少女帯は世に出たてで、抜擢の感が強かった。今でこそ日本のロックミュージシャンでいちばんおしゃべりが上手いオーケンだけど、テンパってばかりで半年で終了した。

水曜2部。伊集院光が始まる。まったくの無名だった。第1回、伊集院がいちばんはじめに言ったギャグを覚えている。「♪オーソレミーヨ」の替え歌で、「♪おーそれざんのイタコ」と激唱したのだ。あれから30年が経過し、伊集院はいまやTBSラジオの顔になっている。

そして木曜日。なんと言ってもビートたけしだ。真夜中の学校だった。教師が教えてくれないことをここで学んだ。僕のプラマイ10歳で「あなたがいちばん影響を受けたラジオ番組は?」という投票を実施したら、間違いなくたけしさんが1位だろう。高田文夫の笑いの合いの手。のちにそれを松村邦洋は「バウバウ」と名付ける。天才。

たけしさんは王だった。フライデー編集部襲撃事件より前、付き纏《まと》う記者をボコボコにした話や、当時ニッポン放送「ヤンパラ」(月~木曜、22~24時)において「恐怖のヤッちゃん」「ヒランヤの謎」など、次々と番組企画をヒットさせていた三宅裕司に対して、「〝俺の笑いはたけしと違う〟?ふざけるな。てめえと一緒にするな!」と辛辣《しつらつ》無比にこき下ろしたこともあった。その剣幕に怖くなって、聴いているこちらもラジオの前で正座してしまった。

軍団同士であわや殺し合いになったので公開裁判をやったり、うら若い弟子にネタを披露させたりもした。生放送で、殿の前でほとんど声も出ないコンビがいた。「あーあ、こいつら全然ダメだな」と思った。のちの浅草キッドだった。ふたりはその後月曜2部を担当。ANNの次は土曜の夜に「浅草キッドのちんちん電車」をやる。思い入れがありすぎるふたり。それだけに現在、博士が健康不安定で無期限休養、玉ちゃんはオフィス北野を辞めてフリーになり、浅草キッドが実質解散状態になっていることが悲しい。

たけしさんだけでこのページが埋まってしまうので早々に切り上げよう。金曜日。大江千里のスーパーギャング。千里はのちにANNもやるが、そっちでは下ネタを解禁した。別人みたいだった。

土曜2部は電気グルーヴ。最高だった。たけしのANNを超えるかもしれない。たけしが最高の教師だとしたら、石野卓球とピエール瀧は最凶の兄貴だった。

土曜の1部をユーミンがやっていた頃、エンディングテーマに当時ユーミンがイチオシのバンドのバラードがかかった。「♪ベイビ、ベイビ、ベイベー、ステイ・ウィズ・ミー　あなたさえいれば〜　ベイビ、ベイビ、ベイベー、ステイ・ウィズ・ミー　何もいらないさ〜」。フェイドアウトしてしめやかに終わる。3時の時報。瀧の第一声、「うんこ〜っ！」。思わずガッツポーズした。ふたりのトークは超絶面白かったし、ゲストにピチカートファイブと細野晴臣が来た回は神回。ここで書き起こしていたら一冊の本になってしまうので、ネットから音源を拾って下さい。

他にもANNは、デーモン小暮（現在はデーモン閣下）、古田新太も愛聴した。真夜中の共犯関係を結んだ気になれた。翌朝は眠くて、授業なんてまるっきり頭に入らなかった。

そして忘れずに記しておきたい。同じ頃、TBSラジオの平日月〜金曜、深夜12時に「サーフ&スノー」があった。タイトルはもちろんユーミンから。TBSアナウンサーの松宮一彦が新旧洋邦問わず、素敵なポップミュージックをかけてくれた。AMなのに曲を一番だけでなく、アウトロまでかけることを番組の信条としていた。「秋元康？　ああ、あのデブね」と、局アナとは思えない歯に衣着せぬ発言も多かった。番組は次第に当時盛り上がりを見せてきた日本のロックバンドが中心にかかった。リスナー投票で、僕と3歳上の兄でTMネットワークの「セルフコントロール」をハガキ100枚送ったこともある。もちろん名前を読まれた。ああ、気恥ずかしい過去。

「サーフ&スノー」は10年以上続いた。松宮一彦はTBSを辞めた翌年、自ら命を絶った。今でも彼の声が耳に残っている。

社会人になってからは深夜放送を聴かなくなった。深夜放送を卒業するときは思春期の終わりなのだろうか。たまに伊集院光の月曜深夜1時、TBSラジオ「深夜の馬鹿力」を聴く。伊集院の思春期は続いているようだ。それがまぶしく見えるときもあるし、しんどそうだなと感じるときもある。ひとつ言えるのは、これからの僕がラジオ自体を卒業することはないだろう。

【2019年2月号】

vol.24

桑田佳祐は、日本のポップミュージック史上最大の変態だ

身もふたもないタイトルになってしまった。とりあえず進めます。お正月に桑田佳祐のボウリング番組を観ていて思ったんですけど、今更ながら、サザン（本稿はこれ以外もいちいち正式名称を出しません。みんなが知ってる固有名詞しか出てこないので）ってデビュー40周年なんですね。覚えてますよ、1978年に「勝手にシンドバッド」でデビューしたとき、ベストテンの中継をオンタイムで見てました。

「目立ちたがりの芸人で〜す！」

場所はライブハウスでしたっけ？ 久米さんか徹子さんに訊《き》かれて、桑田佳祐はそうシャウトして答えた。

あとはもう皆さんご存《ぞん》じの通り。名作ドラマ「ふぞろい」のBGM。2枚組『KAMAK

URA』が出たときの世の中の大騒ぎ。原坊第一子産休中に結成したKUWATA BAND（個人的に桑田関連でいちばん聴いたアルバムはこのバンドのファースト。シングル収録ゼロ）。原坊第二子産休中のソロデビュー。その後サザンデビュー10周年「みんなのうた」、数多《あまた》のドームツアー、「TSUNAMI」200万枚、サザン活動無期限休止、食道ガン寛解などなど、ヒット曲をすべて挙げていくと一冊の本になるので思いきり省略します。

近年はパッタリ途絶えたけど中村雅俊、高田みづえ、研ナオコなどに提供した名曲群も素晴らしすぎる。特に「夏をあきらめて」は後にスチャダラパーが「サマージャム'95」で「熱めのお茶」「意味深のシャワー」の歌詞をクローズアップし、再評価を得た。

ヒットシングルは50曲以上、40年間第一線。国民的ロックバンド。まさに名曲大量製造機の桑田佳祐ですが、結論を急ぎます。みんながやっていそうで誰もしていない指摘をします。

桑田佳祐は日本のポップミュージック史上最大の変態だ。

え、どこが？　普段から気さくな感じだしゲス不倫もないし悪い噂《うわさ》を聞いたことないじゃんと言うあなた。問題はそこです。フツーこれだけ売れたら人は浮かれまくり、全能感を持ち、威張りまくってトラブルを起こすのが当たり前なのだ。

スタッフに暴力をふるったり（例：無数）、酒に溺れて早死にしたり（例：無数）、ドラッグにハマったり（例：無数）、ヨイショされる反面自分の貧弱ボディにコンプレックスを感じて克服しようとからだを鍛えて筋肉バカになったり（例：長渕、ダウンタウン松本、三島由紀夫）、人格破綻が露呈したり（例：玉置浩二）、整形したり金づかいが荒くなったり奇行が目立ったり（例：マイケル）、とにかく女とヤリまくったり（例：無数）、とにかく男とヤリまくったり（例：無数）、結婚と離婚を繰り返したり（例：ミック・ジャガー。曾孫《ひまご》より8人目の子供の方が歳下）、低迷期を迎えて詐欺を働いて逮捕されたり（例：小室哲哉）、ノイローゼになって自殺しちゃったり（例：無数）、消費される自分に嫌気がさして行方をくらませたり（例：小沢健二）するものだ。

いま挙げた人たちは正常。桑田佳祐が異常なの。変わり者なの。超ド級の奇人変人なの。

桑田佳祐の歴史に汚点などあるのだろうか。そういえばむかしむかし女性誌が「桑田家はゴミ捨てのルールを守らないご近所の鼻つまみ」みたいな記事を書いた。あとで他の媒体が近隣住民の声を取り上げてデタラメだと証明した。

初期メンバーのギター大森が宗教にハマったため桑田の怒りを買い追放とかどこまで本当のことかわからない話もあった。確かにむかしのVで振り返るとき、一時期のＳＭＡＰの森くん、最近だとＴＯＫＩＯの山口メンバーぐらい「なかったこと」扱いになっていると感じるのは筆者だけではないだろう。

桑田佳祐のキャリア失敗、あえて言うなら『稲村ジェーン』が唯一の瑕《きず》かもしれない。あと90年代初期にサザンが北京でライブをやったとき、大盛況だったんだけど億の赤字を出したことぐらい？

そうそう、映画『ビッグ・アイズ』『天才作家の妻』と同じ、実は「原坊が全部曲を作っている」と信じ込んでいる人がいまだに一部いる。「だから桑田は浮気できない」と。知らないのか、青学はそのむかしいちばん安いランチが200円で食べられて、お金がない桑田は毎日「ごめんね」と友だちに手を合わせて100円ずつ借りていた。そこでいちばん「ごめんね」と言われていたのが原坊なのだ（たぶん嘉門達也情報）。桑田佳祐は義理堅いんだよ。融資額1億倍返し。

や、でもね、桑田佳祐って実はやんちゃですけどね。血気盛んな頃もありました。「吉田拓郎の唄」で「フォークソングのカス」呼ばわり。「浜田省吾は雑誌で見るといつも下向いたり俯《うつむ》いたりしている」と発言。のちに浜省から「俺だって笑っているのに編集部が暗い顔ばっか撮って載せているんだ」と返されて可愛く謝罪。ベストテンでプールに坐禅を組んだ体勢でぷかぷかと横たわる黒柳徹子に「成仏して下さい～」。そして「すべての歌に懺悔《ざんげ》しな!!」にまつわる長渕との遺恨。まったくもう、桑田さんたらお茶目でチャーミングなんだから！名言「ポップスターは悲しい」同様、だから信用できるってもんで。

さて。さんざん書き散らしてきました。こんな「日本のひとりレノン&マッカートニー」

の桑田佳祐とサザンですが、ありえないことを夢想します。

——もしサザンが今のようなサザンでなかったら。サザンが落ち目になっていたら。「勝手にシンドバッド」の衝撃デビューから一発屋かと思いきや、「気分しだいで」を挟み、「いとしのエリー」がスーパースターの決定打となります。が、知っている人は知っているように、あれってMarlena Shawのパクリですよね（むかし藤原ヒロシがテレビで「恥をかかせるつもりはないけど」ってレコードかけてました）。それが大騒ぎになってバッシングされてサザンが世間から消えていたら、その後の日本の音楽シーンはどうなっていたでしょう。アミューズはないですよね。てことはPerfumeもいない。ワンオクもベビメタもない。福山雅治は宇宙企画でＡＶ男優になっていた可能性大。本人も言ってたし。

桑田門下生の小林武史もいないということはミスチルもモンスターバンドになっていない。ずいぶん地図が塗り替わる。

ふぅ。さんざん桑田佳祐について語ったけど、僕はサザンも桑田ソロもライブを観たことがない。チケットが取りにくい以前に、これまであまり関心を持ったことがなかった。僕もまた、変人かもしれない。

【２０１９年３月号】

『散歩の達人』2019年3月号大特集「板橋」より。

vol.25

テレビがやんちゃだった頃

「テレビがつまらなくなった」と言われて久しいです。テレビ局がコンプライアンスを遵守し、ネットの抗議を恐れて萎縮《いしゅく》し、過剰な演出を控えるようになったためでしょうか。

ひと昔前は何か犯罪が起きると「テレビの影響」と新聞が騒ぎ立てて、加害者まで「俺のせいじゃない。テレビが悪いんだ」と開き直っていた。ひとのせいにするなと思う。社会的弱者を貶《おとし》めて笑い者にしたり、差別したりするのは絶対ダメ。現代は、次の時代のテレビのあり方を模索している時期なのかもしれません。

以下は今だったら絶対に許されない、されどテレビが元気だった頃のエピソードです。美化するつもりはありません。記憶も絶対ではないので、脳内で適切に編集されていると思います。多少の誤差はお許し下さいませ。

ドラえもん（テレビ朝日、1979年〜）

子供の頃はドラえもんをフツーに受け入れて、大人になって見返してみると、その表現の過激さや冷徹さにちょっとギョッとしてしまう。なかでも忘れられないのは「どくさいスイッチ」の回。その人の名前を言ってボタンを押すだけで、この世界から消すことができる禁断のひみつ道具。のび太は手始めにジャイアンを消すものの、それでもまだ周囲から嗤《わら》われているような疑心暗鬼に駆られて、つい勢いで「みんな消えちまえ！」と叫んでしまう。世界でひとりぼっちになってしまったのび太が懺悔《ざんげ》しているところにドラえもんが現れて、「これは実は独裁者を懲らしめる道具なんだよ」と打ち明けるオチ。

で、ＣＭに行くときのジングルで、明らかにヒトラーとわかるコスプレをしたドラえもんが（ご丁寧にちょびヒゲまでしている）、「ハイル・ヒトラー！」を思わせるポーズを取るんです。これ今だったら欧米から叩《たた》かれること間違いなし。

それにしても「どくさいスイッチ」の回、側近幹部だけでも１００人以上処刑したという北朝鮮の金正恩に見せたい話ですね。

アメリカ横断ウルトラクイズ（日本テレビ、1977〜98年）

海外旅行が高嶺の花だった時代、日本テレビは年に1回、クイズを解きながらアメリカを旅行する番組を、4週にわたってゴールデンタイムで放送していた。参加者は一般人。後楽園球場から予選スタートして、決勝戦はニューヨークだった。

二次予選は成田空港（第1回のみ羽田）。後楽園球場で100名にまで絞られた参加者は一対一でジャンケンをして、先に3勝したほうが勝ち抜くという運試し。敗者はパスポートと長旅用の着替えが詰まったバッグを無駄にして各々帰宅する。が、ウルトラクイズのここからが凄《すご》いところで、勝者を乗せた飛行機に向かって、敗者のグループが展望デッキからシュプレヒコールをするのを定番としていた。

忘れられないのは82年。ホテルニュージャパンの火災により33人の死者が出た。翌朝社長の横井英樹が、いまだ煙が立ち上るホテルを背景に開いた会見を、当時10歳だった僕も覚えている。

同じ年に徳光アナはシュプレヒコールの先頭に立ち、拡声器を持って拳を振り上げた。

「おまえらの泊まるホテルには、スプリンクラーが付いてないぞ！」

敗者「ないぞ！」

徳光「おまえらの泊まるホテルの社長は、蝶《ちょう》ネクタイをしているぞ！」

敗者「しているぞ！」

ホテルニュージャパン翌日にも日本航空３５０便が墜落して24人が亡くなる痛ましい事故があった。機長は心の病を抱えていた。徳光はそれもネタにした。
徳光「おまえらの乗る飛行機の名前は●●だ！」
敗者「●●だ！」
正気か。いま同じことをやったらネットで大炎上は必至。1週目で番組では打ち切り。これ以降のVはお蔵入り。日テレの株価は暴落。プロデューサーは懲戒免職。社長は引責辞任。徳光は泣きながらテレビから永久追放だっただろう。すいません、書いててちょっと苦しくなってきた。

姫ＴＶ（テレビ朝日、１９８８〜93年）

ど深夜にやっていたこのバラエティ番組。僕と同世代の野郎なら覚えているでしょう。「クイズ タイム小学生」というコーナーがありました。同局の「クイズ タイムショック」のパロディですね。本家のほうは3問以下の正解だと高い位置に座っていた解答者のイスがくるくる回りながら落下するものでした。が、タイム小学生のほうは、間違えると全裸に晒《さら》されてしまうのです。いまこのコーナーの存在を初めて知った読者は「樋口はいったい何を言ってるのだ」とお思いでしょうが本当なのです。

生まれたままの姿になった女性がテープを貼った隠し台の前に立ちます。司会者が隣で、小学生レベルの問題（とはいえ結構難しい）を次々と出します。不正解だと女体をカメラから遮っていたテープが捲《めく》られていきます。お腹のあたり、へその部分、そして……。最後のところは手で隠すか、巧みに編集していました。

お若い方は信じられないでしょうが、むかしのテレビは当たり前のようにおっぱいを出していました。「11PM」や「トゥナイト」のような深夜のお色気番組はもちろんのこと、土曜の夜9時だというのに、初期の「アド街ック天国」まで入浴シーンにかこつけて見せていたのです。

もっと直接的なものがあります。バブル前夜、イケイケだったフジテレビが土曜深夜に一般の女子大生を大量に起用した「オールナイトフジ」が成功。民放各局が同時間帯の深夜番組に進出し、日本テレビは所ジョージをMCに「TV海賊チャンネル」をスタート。目玉コーナーはそのものずばり、「ティッシュタイム」と言って（以下自粛）。お世話になりました！

笑って！笑って‼60分（TBS、1975～81年）

土曜のお昼だったと思う。保育園から帰ってランチを食べ終わり（なんで土曜のお昼ってどこの家庭も焼きそばだったんでしょう?）、つらつらテレビを眺めていると、とんでもない映像を毎週放送していました。

この番組のオープニングコーナー。スタジオの中央に大量の服が山となって積まれていて、素っ裸の男女の幼児がいっぱいわーってやってきて、その子たちのお母さんが手当たり次第に服を着せて、着た分だけタダでもらえた。確かその服は番組スポンサーだったような。出演者とスタッフのクレジットを流しながらの短い時間のため、最後のほうはお母さん方も手当たり次第に子どもの首に服を通してみんな不恰好《ぶかっこう》な状態でした。

しかしなんと無邪気な時代か。現代だったらネット番組でも絶対ダメ。１００パーセントの放送事故。ペドフィリアホイホイにもほどがあるよ。人の親になった今振り返るとぞっとするわ。オエ。書いてて嫌な気分になってきた。タイトルが「笑って！笑って‼」って、笑えないから！

今回は下ネタと顰蹙《ひんしゅく》ネタばかりになってしまいました。お詫びします。でも僕が悪いんじゃないです！　むかしのテレビが悪いんです！

【２０１９年４月号】

vol.26

鬼子母神スタンド・バイ・ミー

鬼子母神は物悲しい神社で、池袋駅から若干遠いこともあり、余所《よそ》から来る人はほとんどいなかった。ここを楽しく闊歩《かっぽ》しているのはいつも子供たちだった。

中央あたりに平屋建ての、少々言葉は悪いがあばらやの駄菓子屋にうっちゃまは住んでいた。うっちゃまとは同じ雑司ヶ谷小学校に通う友だちで、生年月日が同じだった。

僕とうっちゃまは、背格好もあたまの程度も運動神経もだいたい同じぐらいで、普通の小学生がそうするように、僕たちも楽しく遊んだ。

駄菓子屋はうっちゃまのお母さんが切り盛りしていた。むかし懐かしい駄菓子を中心に、僕はよくタダでもらった。うっちゃまのお母さまはうっちゃまそっくりで、とても優しかった。うっちゃまのお母さんか、会ったことはないけれど、うっちゃまのお父さんが江戸時代から続くこの店を代々引き継いでいると聞かされたような気がする。

いつ行っても鬼子母神はひっそりとしていたが、たまに映画やテレビに鬼子母神が出てくるとびっくりした。鈴木則文監督の『ドカベン』では岩鬼が境内の鳥居を壊した。日テレのドラマ『風の中のあいつ』で坂上忍が本堂の裏でカツアゲをしていた。

鬼子母神が賑《にぎ》やかになるのはせいぜい年に2回。2月3日の節分には芸能人が来て豆まきをする。特設のセットのようなものが組まれ、豆を放り投げる。手の平サイズの小袋に豆がいっぱい入っていて、その中にみみずくをあしらった小粒のお守りが入っていたら当たり。雑司ヶ谷小学校の生徒たちは大挙して人の群れに加わり、戦果を競った。

あとは大晦日。日付が変わる頃、地元住民が真っ暗な寒空の下、新しい年を祈るため、賽《さい》銭《せん》箱の前に並んだ。

あれは小学6年生だったか、「ゴールデン洋画劇場」でダスティン・ホフマンの『卒業』を観て、サイモン&ガーファンクルを好きになった僕はサントラ盤を買い、学校から帰ると聴きまくった。「サウンド・オブ・サイレンス」、「4月になれば彼女は」、もちろん「スカボロー・フェア」では「パセリ、セージ、ローズマリー、アンド、タ〜イム」とハモった。LPに何度針を落としただろう。この世にこんないい曲があるのか。目の前がひかりに照らされるような感覚を覚えたのは人生で初めてだった。うっちゃまを家に招いて、彼にも聴かせた。「いい曲だろう？」。うっちゃまも同調してくれた。「これ、ふたりで歌ってんだぜ」「すげえ」。もう時効だから書いていいだろう。家から1分の場所に小さなゲーセンができると、夜メシを終えた後、溜《た》まり場にしていた。壁のハイスコアボード、「DigDug」には僕の名前があった。いつだったか、うっちゃまからお願いされた。「ゲーム機を開けるキーをパクった奴から押し付けられた。店に返したい。ひぐ（僕のあだな）、悪いけど一緒に行ってくれないか」。僕がお店の人に両替をお願いして、あちらが後ろを向いている間、うっちゃまは店の工具箱の中にそっとキーを置いた。小学生男子のいたずらと笑って許して頂きたい。

さて、本題はこれからだ。あるときのこと。ある上級生がうっちゃまの家をバカにして、口汚く罵《ののし》った。

うっちゃまは泣きながら怒った。その上級生の名前は知らなかったが、今でも顔をはっきりと覚えている。忘れようがない。僕も一緒になって応戦すべきだったが、1年上というだけで怖くて、見ているだけだった。

悔し涙を止めることができないうっちゃまと帰り道を歩いた。かける言葉もなかった。今も申し訳なく思う。

それがきっかけというわけではもちろんないが、うっちゃまは雑司ヶ谷を離れる日が来た。僕はそのとき家にいた。やはりサイモン&ガーファンクルを聴いていた。

――うっちゃまに、ちゃんとさよならを伝えなきゃ。謝らなくちゃ。

突然火がついたような思いで部屋から飛び出し、自転車で坂を下り、鬼子母神に向かった。3分とかからなかった。でも長い3分だった。駄菓子屋は閉まっていた。とっくに彼は引っ越した後だった。

その後一度だけ、神奈川県にある彼の家を訪れた。一緒に行ったのは美人で性格もいい大浦さんと、個性的な内田さん。ふたりともうっちゃまと仲が良かった。ちなみにどちらかは僕のことが好きだった。

何線に乗ったらいいのかわからない僕は、池袋駅で迷ったが、大浦さんと内田さんとどうにか会えて、電車に乗ってうっちゃまに会いに行った。立派な一軒家だったはず。でも何をごちそうになったのか、まるで思い出せない。うっちゃまには数歳下の妹がいて、普段は遊んだことはないが、そのときは一緒だった。

中学生になると、うっちゃまから手紙が届いた。彼は達筆だった。当時流行り始めた『湘南爆走族』のキャラクターを模写したイラストが入っていて、すごく上手《うま》かった。

そうだ、引っ越した後も、僕の家に来た。御会式《おえしき》があった日だろうか？ うっちゃまは家に上がっても、尻をつこうとしなかった。いわゆるヤンキー座りだ。ちゃんと座りなよと言ったが、彼はこのほうが楽だからと続けた。僕らは思春期を迎えようとしていた。うっちゃまも雑司ヶ谷を離れて、以前のようなひ弱さは消えようとしていた。この頃なら上級生から口汚い罵りにあっても、鉄拳で返しただろう。

坂を下りるように時は流れた。鬼子母神は国の文化財に指定され、夜になると入れなくなった。僕も池袋を離れ、独立した。雑司ヶ谷にある祖母の家や、叔父の店のレストランアミを訪ねる行き帰り、たまにだが鬼子母神を通った。駄菓子屋は開いていた。顔を出すと、うっちゃまのお母さんはお菓子をくれた。お金を払おうとしても、「樋口くんが顔を出してくれたのが嬉《うれ》しいから」と、顔の前で手のひらを振った。おばさんの中で僕はいつまでも子供のままのようだ。

平成最後の元旦。僕は妻と3歳の子供と、ドキュメンタリー映画監督の松江哲明さん家族とでご飯を食べた後、初詣でもしましょうかという話になり、鬼子母神に行くことになった。

境内は人で溢《あふ》れていた。副都心線ができてアクセスが便利になり、周辺も小洒落《こじゃれ》たカフェがいくつもある。鬼子母神はちょっとした観光地になっていた。いつものように駄菓子屋を覗《のぞ》く。いつからだろう、「創業一七八一年 上川口屋」という看板が飾られている。人々はそこにスマホを向けて記念写真を撮っている。うっちゃまのお母さんに挨拶をする。

「あら樋口くん、あけましておめでとう。今年もよろしくね。きょうはあの子もいるわよ。ほら、そこ」

振り返ると、彼はそこにいた。

「うっちゃま」「ひぐ」

久し振りに会う彼の髪は真っ白だったが、面影はそのままだった。

お母さんから近況は聞かされていた。結婚して地方に転勤して、雑司ヶ谷から遠く離れた場所で暮らしているそうだ。

お互いの子供を見せ合った。うっちゃまの息子は小学生で、僕らが遊んでいた頃の年齢だ。ふたりともおじさんになったなあと思った。

何を話したらいいのかわからなかった。改めて話すことは何もない。でも35年ほど前、僕と彼は友だちだった。そして今も。

「きょうは妹も来てるんだ」

淑《しと》やかな女性がやってきた。顔は覚えていなかったが、うっちゃまの妹だった。一児の母親だという。

「私、ずっと謝りたいことがあって」

僕は立ち尽くすような思いで、耳を傾けた。

「樋口さんが神奈川の家に来たとき、家の中でかくれんぼをして、樋口さんがタンスの中に隠れて。それで見つからなくて。樋口さんがようやく出てきた後、私が泣いて怒ったんです。

でも樋口さんは何も言い返さずに、私にすまなそうな顔をしていました。本当にごめんなさい」

記憶になかった。僕は小さく笑うしかなかった。

少し立ち話を続けた後、僕とうっちゃまはさよならをした。次に会えるのはいつかわからない。また来年の元旦かもしれない。

ああ、そのときは僕も彼に謝れるだろうか。

【2019年5月号】

vol.27

昭和最後の日、平成最初の日

いつも苛立《いら》っていた。お気に入りのグリーンのジャケットで通学した。制服のブレザーはとっくに棄てていた。教師は見て見ぬ振りをしていた。俺が校内の成績上位に居座っていたからだった。新井薬師前駅は電車とホームがえらく離れていて、いつか足を踏み外し、グリーンに汚れが付くだろうと思っていた。

あいつがいなくなってからは、クラスでつるむ相手は2週間ごとに変えた。たまに思い出したように人に親切にしたり、横暴に振る舞ったりした。大袈裟《おおげさ》に笑い、頬を浮わつかせた。退屈という一語では言い表せない教室。つまらないのは周りではなく、俺自身なのだと認めたくなかった。

俺たちのほとんど大半には、ろくな将来などない。華奢《きゃしゃ》な未来は、俺たちを必要としていない。そう思い込んでいた。

今で言うスクールカーストなどない高校だった。俺の在学中に野球部は2回甲子園に行き、バレーボール部は10年連続で全国大会に出場した。体育ができる奴がいちばん偉い慣習により、不良は廊下の隅を歩いた。軽蔑に値する人間にだけ愛想を良くするよう努めた。たいして好きじゃない奴だけ家に連れてきた。そのうちのひとりとは数年後、バイト先で再会した。彼は女装していた。

体育祭の日、早引きした。担任の小井戸は他の生徒たちが見ている前で俺の頬を2回張った。舌で頬の裏側を押す。帰りに駅の横にある牛丼太郎を掻《か》き込んだ。錆《さ》びた鉄の味がした。

土曜日は一族経営の馬鹿息子がテレビを通して役に立たない訓示を垂れ流す。あれで忍耐を学んだ。正確に言えば、忍耐の殺し方を。

「趣味は著名人の死亡記事のスクラップ」という古参の教師がある日背後から階段を突き落とされて入院した。犯人が自分でないことに軽く落胆した。

ポケットにイエーツの詩集を忍ばせて、それが露呈したら舌を嚙み切ってやると思っていた。どこにでもいる少年だった。いつか大きな秘密を抱えたいと願っていた。きっと誰にも知られずにありていな秘密を道連れに死んでいくのだと、確固たる予感があった。

年が明ける前から連日の下血報道があり、陽水のCMは口パクになっていた。

1月7日がやってきた。テレビは昭和を振り返る特別番組で溢《あふ》れた。大人たちは「昭和が終わる」と感慨深げだったが、俺は今すぐ世界が終わればいいと願っていた。時代の転換でも裁きの日でもない。だから感傷的になることもない。それとはまったく関係なく、あることを決めていた。あいつとともに、学校に火を放つ。あいつが退学に追い込まれた、せめてもの復讐《ふくしゅう》だった。ゴーサインを待ち続けてずいぶんになっていた。

その夜のことだ。電話の連絡網で、当分の間学校は休みだという。

「わたしさあ、爆風スランプの武道館に行くはずだったのにさー」

受話器を握りしめたまま黙っていた。

「そういえばさ、聞いちゃったよ。あんたマジで考えてるのーー」

話の途中で電話を切った。どこで聞いたのか、誰が漏らしたのか、問うまでもなかった。ポストを覗《のぞ》くと手紙が入っていた。長い長い手紙だった。2回読み返すと台所で燃やした。思いの外大きな紫色の炎を上げるとそれはこの世界から消滅した。

来ないものを待つ。それを仕事にしていた。裏切りなどよくあることとさと言い聞かせたが虚《むな》しかった。

なぜかこの頃、家には俺ひとりしかいなかった。寄る辺なき夜をあてもなくグリーンのジャケットに深く手を差し込み、街を彷徨《さまよ》った。あずま通り商店街を進みニコマートの前を横切る。レンタルビデオ店のアップルに顔を出すと真夏の海岸のような盛況ぶりだった。サンシャイン通りを目指す。池袋ではマクドナルドより先にできたロッテリア。東宝はもうなかったかもしれない。いかがわしい街のいかがわしい住人も今夜ばかりは声をかけてこない。ぐるっと回って駅前に着く。全身を包帯で巻いた人が蹲《うずくま》って黒のゴミ袋から野菜屑《くず》を貪《むさぼ》っていた。ダンキンドーナツの前を横切り、もう一度公園に戻る。よく見かけた浮浪者はいない。ブランコに揺られながらひとり訳ありのセンチメンタリズムを気取った。あいつとよく回ったコース。見えない影が見えてきそうな、最後の散歩だった。

夜明け前、祖母から少しずつくすねた睡眠薬を一気に飲み干した。この世のすべてに対しての抗議のつもりだった。眠りから覚めると昭和は終わっていた。新しい元号に入って数日が経過していた。ひどく頭が痛かった。

それから1日も学校に行かなかった。卒業式ぐらいは顔を出してもいいと思っていたら寝坊した。

俺はようやく悟った。誰かに期待するのは間違いだし、世界は小さな個人の思い通りにならない。世界を変えられなければ自分を変えること。自分を変えられなければ、世界を変えなければならないことを。

俺が後者を選択したのは、それから20年後のことだった。

そして今も考える。自分はまだ、長い眠りの中にいるのではないか。決して目覚めることのない暗闇の中でずっと夢を見続けているのではないかと。

【2019年6月号】

vol.28

中島みゆきに謝罪します

一昨年、生まれて初めて山下達郎のライブを観ました。正直今までタツローのことを「ポップ職人」というか、「同じことをずっとやってる人」という捉え方で、自分にとって重要ではなかった。それが妻に連れられて広島県のふくやま芸術ホールまで行ったら（東京の会場のチケットなんて手に入るわけがない）、これが素晴らしすぎて素晴らしすぎて。「クリスマス・イブ」や「ライド・オン・タイム」など、みんなが知ってる名曲・代表曲をあの美声・高音（←致命的貧困語彙力《ごいりょく》）と噺家《はなしか》みたいなMCで、あっという間の3時間半。目からウロコどころか眼球ぽろりレベルでした。いやが上にもこれまで自分の中にあったライブの価値基準が上がってしまった。タツローってこんなレベルの高いことを40年以上やり続けてきたの？ 脱帽です。ごめんなさい。心から謝ります。

ひねくれているものだから敬遠してきたローリング・ストーンズのライブを初めて観たのも5年前。やっぱり最高だった。なんでもっと早く観ておかなかったのだろう。素直にならなきゃなと痛感した。まあこの歳《とし》になったからわかるようになってきたのかなと思うけど。

こうなったらレジェンドの人たちを観ておこうと思い、真っ先にあたまに浮かんだのが中島みゆきだった。むかしむかし僕が15歳のとき、１９８6年12月19日か20日のどちらか、両国国技館で一度観ている。レアなチケットをよく買えたなと思うでしょ？　当時、池袋西武とパルコが繋《つな》がっているところにチケットセンターがあって、絶対に売れるチケットはスタッフの人たちが独断で発券して店頭に「〇〇のチケットあります！」みたいな貼り紙を出していた。それを運よく見つけて衝動的に買った。

靴を脱いで枡席でみゆきさんを観た。前の月にリリースされたばかりのアルバム『36・5℃』が中心で、ロック的な要素が強かった。ＭＣとかかなり覚えている。顔なじみになった外国人の売春婦がノーメイクの顔を見せて、〝これが私の素顔なの〟。とてもきれい綺麗な顔でした。でも彼女は殺されました……って話してから名曲「エレーン」に入るとか。

そもそも中島みゆきを初めて聴いたのは中2のとき、アルバム『miss M.』からだった。巣鴨にあった貸しレコード屋「友&愛」でレンタルした翌日風邪をひいて学校を休み、だけどＬＰを返す前にカセットテープに録音しておかなきゃと布団の中で『miss M.』をかけてたら魘《うな》されて……なんて話をクラスの女の子にしたところ、その子たちがユーミン派ではなくみゆき派（似たような喩えとして「馬場と猪木どっちが強いか」でケンカしちゃう人たち）だったため、「おまえが悪い」「みゆきさんに謝れバカ」と罵《ののし》られたのがきっかけとなり、本腰を入れて中島みゆきを聴くようになった。

状況も良かったと思う。中島みゆきのオールナイトニッポンの面白さで本人に興味を持ち、柏原芳恵（天皇陛下が愛したアイドルであり、脱ぐ脱ぐ詐欺とバ●ブで有名な人）に提供した「春なのに」「カム・フラージュ」「最愛」など次々とヒットしていた。今みたいに大御所じゃなく、間口が広くてハードルが低かった。これってポップミュージックにとっていちばん大事な条件。

都電荒川線向原停留場から歩いて15秒の場所にあった豊島区中央図書館2階はLPレコードの貸し出しをしていて、中島みゆきのアルバムを聴きまくった。そこでハマり、リリース順など気にせず買い集めた。

それではみゆきビギナーの方々にもわかるように、なるべく冷静な評論で、特に好きなアルバムを挙げていきます。

まず、『あ・り・が・と・う』。キャロル・キングの『つづれおり』と肩を並べる、等身大の女性のリアルライフを描いた世紀の名盤。A面B面合わせて9曲。どれも超の上にまた超が付く名曲たち。ラストの「時は流れて」で泣かない奴は人間じゃない。ビッグコミックスピリッツで連載していた『F』で、主人公が別れた女に会いに行ったら精神に異常を来し、記憶を失っていたエピソードがある。見開き2ページに、7分もある「時は流れて」の歌詞を全文掲載してその深い悲しみを表現した六田登先生はさすがとしか言いようがない。

次、『愛していると云ってくれ』。控えめに言って神アルバム。のちに同名のドラマ（『愛していると言ってくれ』）がTBSで北川悦吏子脚本、豊川悦司・常盤貴子出演で放送。なんとこのアルバム、一曲目は朗読で始まる。大ヒットシングル「わかれうた」収録。ラストを飾る「世情」は「3年B組金八先生」第2シーズン「腐ったみかん」編のクライマックス、不良の加藤が学校の放送室に立て籠《こ》もり、校長に謝罪させた後、押し寄せた警官に逮捕。中学生なのに手錠をかけられ護送車に連行されるシーンのBGMとして、つとに有名（ここらへんは同年代には説明不要）。ところで当時、「あれ歌ってるの誰かな。さだまさし?」って言ってるバカいませんでした? 僕のことです。vol.14にも同じことを書きましたね。

他にも『親愛なる者へ』（これものちに同名のドラマが放送。野沢尚脚本）。傑作中の傑作。これを聴かずしてみゆきを語れない。「タクシードライバー」の歌詞は拙著『さらば雑司ヶ谷』でパクりました。『おかえりなさい』も大大大好き。どれも文学的表現、心理描写、物語性が天才すぎる。『生きていてもいいですか』はこの世でいちばん暗いアルバム。聴いた後は命の保証はできません。

しかし、この連載を読んでいて下さってる方にはおわかりのように、例によって例のごとく、僕は中島みゆきから離れていく。やっぱりロック調についていけなかった。最後に買ったのはスティービー・ワンダーと共演した12インチシングル「つめたい別れ」かな。その後も何枚か聴いたけどやっぱり初期ほどいいとは思えなかった。

あとね、この際言っておきますが、みゆきさん及び関係者のみなさん、最新作ならともかく、むかしのアルバムなり楽曲なりを、ユーチューブにアップされても黙認したほうがよろしいですよ。ＣＤを無料で配れとか版権フリーにしろとか言ってるんじゃないんです。みゆきさんに限った話じゃなく、減価償却をとっくに終えた30年以上むかしの楽曲をタダで聴かれないように取り締まるより、無料から入ってくる新しいファンを獲得したほうが未来があるから。何度も言うけど、聴くハードルを低くしないと。

比較するような書き方になって申し訳ないが、タツローはむかしのアルバムがネットにアップされていても野放しにしている。結果、これまでタツローのことを親の世代が聴いている大御所だと思っていた若い世代と、彼の名前も知らなかった外国人が発見し、その中から「もっとクリアな音源で聴きたい・所有したい」という人がフィジカルを購入、ライブ会場に新規の客として詰めかけている。現に米ヒップホップのトップのひとり、タイラー・ザ・クリエイターがニューアルバムで山下達郎の楽曲を取り入れた。

（報告：この原稿を書いている最中、小田和正が全楽曲のストリーミングサービスをスタートさせた）

閑話休題。みゆきさんはＮＨＫ「プロジェクトＸ」の「地上の星」の社会現象的大ヒットにより、「中島みゆき＝暗い」の代名詞を自らのちからで変えた。その後もずっと高値安定。夜会のチケットなんて手に入るわけがないのでライブ映画を観た。

そしたらですねえ、先述したむかしの好きな曲あんまやんないんですよお。あれじゃあ頑張ってチケット入手してせっかくライブ観ても欲求不満が溜《た》まりそう。ほんとすいません、中途半端な元ファンのくせに思い入れがありすぎて。聴き始めの中坊のときから、悪いのはもちろん僕のほうです。というわけで33年越しに謝ります。みゆきさんごめんなさい。


【２０１９年7月号】

異説・長州力

vol.29

長州力がプロレスを引退した。67歳だった。もう一度書く。67歳。いくら休み休みとはいえこの年齢まで現役選手をやれるのがプロレスのいいところだと思う。原辰徳vs大谷翔平とか掛布雅之vsマー君といった世代超越の夢カードが実現しちゃうような世界なのである。

プロレスに詳しくない人に説明すると、長州は46歳のときに一度引退している。「千代の富士みたいにボロボロになるまでやりたくない」と発言していたが、2年後にはあっさりと復帰した。プロレスに興味がない人からすると驚きだろうが、引退したはずのレスラーが再びリングに上がるのは珍しい話ではない。大仁田厚なんてこれまで7回引退して、その度に「今度こそホント！」なんて言ってるのだから。

失笑する人は多いだろう。でもプロレスだからいいのだ。反則が5カウントまで許されるとか、鍛え上げた選手が毒霧でのたうち回るとか、幼い頃からいいかげんな世界を見て僕は育った。そしてプロレスから色々なことを学んできた。文豪開高健はプロレスについてこう語っている。「虚の中にこそ実があり、実の中にこそ虚がある。プロレスは大人が見る芸術だ」。ということは、僕はずいぶん早くから大人の仲間入りを果たしていたのかもしれない。

閑話休題。長州は専修大学の名門アマチュアレスリング部出身で、2015年のベストセラー『真説・長州力 1951-2015』によると、長州の指導法は厳しく、練習中に用意していた竹刀がすべて叩き折られるほど激しかったという。

これはある人から聞いたが、著者の田崎健太氏がこの本のためアマレス部で長州と共に汗を流した吉田栄勝に取材をしようとしたところ栄勝さんが急逝したので、娘さんの「霊長類最強女子」こと吉田沙保里に話を聞こうとしたら、「パパをいじめた人の話なんかしません!」と断られたというが本当だろうか。

ミュンヘンオリンピックのアマレス韓国代表というフィジカルエリートにもかかわらず、新日本プロレスでデビューしてからしばらくの間パッとしなかった長州は、メキシコ遠征から帰国すると、髪形を長髪に、リングシューズを黒から白に変えた。これは当時の新日本プロレスの日本人レスラーのスタイルを破ることだった。そして年下のスター藤波辰巳(当時)に、「俺はお前の噛ませ犬じゃない!」とケンカを売った。僕を含めて多くの人がここから長州力を知るようになる。

毎週金曜夜8時、ふたりの戦いは「名勝負数え歌」（©古舘伊知郎）と名付けられた。スピードの速い展開は「ハイスパートレスリング」と、既存の体制に正面からぶつかっていく長州は「革命戦士」と呼ばれ、瞬く間にファンの支持を得た。

猪木の事業失敗により新日本プロレスの経営が問題視されると、長州は自らの軍団とともにジャイアント馬場の全日本プロレスに移籍した。しかし184センチ（公称）100キロそこそこだった長州は線が細く、からだがデカい外国人天国の全日では明らかに見劣りしていた。数年で古巣の新日にリターンすると、参議院議員になりセミリタイアした猪木に代わり、現場監督を務めた。

それまで新日本プロレスの道場において強さの基準は「プロレスの神様」ことカール・ゴッチが作った「どのぐらい長くブリッジができるか」だった。しかし長州が道場を仕切るようになると強さの基準は、「どのくらい重いベンチプレスを上げられるか」に変わったと聞く。徐々に長州のからだは大きくなり、外国人に当たり負けしなくなった。

あれは1991年3月21日、東京ドームだった。僕は日雇いの警備員アルバイトとして、選手の花道に位置した。セミファイナルで長州が目の前を通った。背丈はそれほどでもない。しかし肩から腕の太さは、まるで空気入れで膨らませたようにパンパンに盛り上がっていた。

当時長州は39歳。気力、体力ともに充実していただろう。タイガー・ジェット・シンを流血KOした長州は鬼神を思わせた。

これ以降ぐらいか、長州は強くて怖いイメージを観客に植え付けていく。95年10月9日、UWFインターとの対抗戦で安生洋二を完膚なきまでに叩《たた》き潰した。試合後の控え室でアナウンサーから「長州さん、キレましたか?」「キレてないよ」のやり取りが後に芸人長州小力の持ちネタとなる。

長州が企画した団体対抗戦は次々とヒットした。創業者アントニオ猪木が拵《こしら》えた20億円以上あった借金を完済。意にそぐわない週刊プロレス編集長のターザン山本を業界から追放し、世界の覇者となった。しかしそれも長続きしなかった。1度目の引退から復帰したものの、明らかに力が落ち、権勢に陰りが見えると、長州の影響を受けた二流のパワーファイターたちがそっぽを向いた。2002年、長州は再び新日を飛び出し、新団体WJを旗揚げ。「プロレス界のど真ん中を行く」と宣言するも、興行は赤字に次ぐ赤字で、数億円の負債を抱えた。このとき一連托生《いちれんたくしょう》だったはずのレスラーやフロントはほとんど離れていった。特に悲劇だったのは、愛弟子佐々木健介と袂《たもと》を分かったことだった。長州が突き進んだど真ん中は地獄だった。

それから10数年が経った。その間長州はまたまた新日に戻り、またまた飛び出て精彩を欠いたファイトを細々と続け、離婚した奥さんと再婚して、たまにバラエティー番組で笑顔を見せた。生死流転。むかしを知る者には想像もつかなかった晩年を送っている。

それでも僕や多くのプロレスファンは、今なお長州力に大きな幻想を抱くことをやめない。僕はいまのプロレスも大好きでよく観ている。ゴールデンタイムで放送していた頃のプロレスより、いまのほうが技も豊富だし展開も飽きさせない。実によく計算されている。けれども「役者」として捉えると、長州力に並ぶ現役のレスラーはいない。残念ながら。

長州力の何がそこまで僕たちを駆り立てるのか。気性の激しさと出自か。物語のような波《は》瀾万丈《らんばんじょう》な生き様か。いや違う。それは後付けだ。長州力はただシンプルに、魂を揺さぶるような名勝負がずば抜けて多いからだ。

数年前、僕がプロレス小説『太陽がいっぱい』を上梓すると、編集からパブ企画として「長州力と対談はどうですか?」と聞かれたが、丁重にお断りした。畏れ多かった。それに長州に限らず、プロレスラーと話をしたいとは思わない。レスラーがリングに上がる。それに声援を送る。レスラーはそれに応えたファイトを見せる。それがレスラーとファンのあるべき対話だと思う。

そして2019年6月26日、長州力が再びリングを降りる日がやってきた。場所は後楽園ホール。情弱の僕はこの興行を知ったときはすでに売り切れ。あわててCSファイティングTVサムライに加入した。

長州力・越中詩郎・石井智宏vs藤波辰爾・武藤敬司・真壁刀義。実況席には辻よしなり、盟友天龍源一郎。リングコールは田中ケロ、レフリーはタイガー服部。所縁《ゆかり》のある人たちが集まり、舞台は整った。長州は奮闘した。しかし最後は真壁のトップロープからのニードロップをまさかの4連発でリングに沈んだ。テンカウントゴングはなし。引退セレモニーに付き物の花束贈呈もなかった。長州はマイクを握る。

「私にとってプロレスとは何だったのかと振り返りますが、全ては勝っても負けてもイーブンでした。一つだけ勝てない人間がいました。きょう観に来てくれた家内の英子です」

長身のすらっとした美女がリングに上がる。対戦相手と観客を常に威圧してきた男が穏やかな微笑《ほほえ》みを見せる。最愛の人と抱き合い、キスをかわす。ボロボロになるまで傷ついた兵士長州力は、四方に深々と頭を下げて、お腹《なか》に孫を宿した娘の待つ控え室へ、人間吉田光雄に戻っていった。こんなに美しい最終回、見たことない。

ああ、プロレスは生き様が見える、最高の芸術だ。

【2019年8月号】

vol.30

松田聖子とは何か？111回目の武道館コンサートを観て考えたこと

——いま目の前にある光景は何なのか。人間ではない、もはや怪物のショーを観ているのか。

２０１９年7月5日金曜日、超満員の日本武道館。キラキラとディズニーランドを思わせる、80年代アイドルのファンタジー感を具現化した舞台セットで、松田聖子が歌っていた。「時間の国のアリス」を皮切りに、「秘密の花園」「渚のバルコニー」「ボーイの季節」「白いパラソル」「ピンクのモーツァルト」「ガラスの林檎」……。

知ってる。みんな口ずさめる。予習なしで来ても十分楽しい。今年はプレ40周年なのでセトリはシングル縛りだという。聖子史上最高の名バラード「瑠璃色の地球」は無しなの？ちょっとがっかりしつつ、「小麦色のマーメイド」「野ばらのエチュード」「瞳はダイアモンド」「S

WEET MEMORIES」「赤いスイートピー」へと続いた。

やっぱり楽しい。全曲「ザ・ベストテン」第1位。めくるめくヒット曲というか、もはやそんなレベルでなく国民の共通分母。「みんなの歌」が次々と歌われていく。好き嫌いのレベルではなく、80年代を日本で過ごした人なら絶対に歓喜する楽曲の数々。聖子のMC。

「きょうの武道館は111回目です」

膝から力が抜ける。女性アーティストとしてもちろん最多。今後破られることはないだろう。だがしかし、4度目の年男にして初のナマ聖子を拝観する僕は、エンジョイしつつ不安を覚えずにはいられなかった。

序盤はヘッドセットでダンサーたちと踊りながら、まったく息も乱れずに歌うので「おいおい、オープニングから口パクかよ」とツッコんだ。その後ドレスに着替えてアコースティックセットとハンドマイクで惚《ほ》れ惚れとする高音熱唱。ステージの端から端まで走り回り、セットの階段を何度も上がり下りした後も、MCで一切ハアハアいわない。え、じゃあ最初から口パクじゃなくて、踊りながらあの安定した歌声を維持していたの？何この人、ほんとに人間？怪物のショーを観ているの？と思い至ったわけです。

5年前、ローリング・ストーンズのライブを観たときも同じように感じた。ミック・ジャガー、2時間超シャウトしまくり。東京ドームの端から端まで走り、せり出しのステージから中央まで、すべての観客を抱くように手を大きく広げながら後ろ向きのままステージまで下がっていった。バケモノだと思った。けれど最近サー・ミックは心臓の手術をした。御年76。ロックの現在進行形の神話も遂に店じまいかと思いきや、インスタにキレッキレのダンスを披露後、北米ツアーをスタートさせた。やっぱり人間じゃない。

日本にも松田聖子を含めて、ヒューマン・ビーイングの文脈で語れない生物がいる。美輪明宏を筆頭に、矢沢永吉（武道館公演142回！　もちろん1位。聖子との武道館最多回数の記録は双方の人生の最期まで争われるだろう）、YOSHIKIなど。彼らは「人間」ではない。生き様ごとすべて観せる「エンターテイナー」だ。

閑話休題。聖子は歌う。聴きたい曲が多すぎて、そうなるとライブは朝まで終わらないので後半は怒涛のメドレー。大きなイチゴがパカっと割れて、真っ赤なキャピキャピの格好にチェンジ。なんだか現実感がない。デビュー曲「裸足の季節」「青い珊瑚礁」「風は秋色」「ハートのイヤリング」（佐野元春作曲）、「天国のキッス」「Rock'n Rouge」「チェリーブラッサム」「夏の扉」。クライマックスは体の線がはっきり出るシンプルなTシャツと短パン。2階席からでもプロポーションの良さがわかる。これが57歳か！　ちなみに現在、松田聖子のオフィシャルサイトのトップページは水着姿。最高だ。

聖子は世の中に現れたときから「永遠のアイドル」だった。久留米から上京した少女蒲池法子は、三浦徳子&小田裕一郎が基盤を作り、松本隆の世界観により、引退した山口百恵の後釜に納まった。明菜やキョンキョン、おニャン子が追撃したけど、聖子から女王の座は奪えなかった。

「ぶりっ子」（初めてこの言葉を知った20代以下のあなたはお家《うち》の人に尋ねて下さい）、郷ひろみとの破局、神田正輝との結婚、「ビビ婚」、いちいち名前を挙げていったらちょっとした人名事典ができそうなほど、多くの浮名を流してきた。その度女性週刊誌は面白おかしく書き立てたが、聖子は臆する人ではなかった。ワイドショーで取り上げられてこそ聖子の本領だ。聖子は今から40年近く前から男に頼らない女の生き方を実践してきた。この日武道館の大半を占めていた同年代の女性は若い頃、一度は「聖子ちゃんカット」をしたことがあるはず。ほとんどは髪型しか模倣できず、憧憬《しょうけい》を持って聖子を見守り続け、共に年月を重ねている。スーパースターは大衆の思い入れを背負い続ける。松田聖子のヒストリーと自分の思い出を重ねる。

僕も覚えてます。1984年6月24日、松田聖子と神田正輝の「聖輝の結婚式」は視聴率30パーセントを突破し、ふたりの結婚式だけで雑誌の増刊号が出た。今では信じられないことだがハネムーンの翌朝、ハワイにまで押しかけたレポートのために記者会見を開いている。

「昨日の夜はどうでしたか?」（コンプライアンス的に今ではアウト）

「正輝さん、疲れて寝ちゃったんですよ（拗）」

神田正輝、照れ笑い。

そりゃ本当のことなんて言わないでしょうよ。

それはそうと、松田聖子ってワガママなイメージで伝えられてきたじゃないですか。なぜ聖子はバッシングされたのか？　それはひばりがあきらめた「女の幸せ」（死語）と、家庭に入った百恵も成し得なかった「ママでありながらアイドル」という両立を世間が許さなかったから。「女の幸せを総取りしてズルい！」と、旧来の価値観で聖子を叩《たた》いた。人格云々《うんぬん》を取り沙汰《ざた》した。

娘さんの神田沙也加との確執を語られるじゃないですか？　20年近く前、僕が悪名高いゴシップ誌で働いていた頃、編集部に写真の売り込みが頻繁にあった。ジャニーズのアイドルグループのひとりが恋人と一戦交えた後の裸のポラ写真とか、某歌姫が一時シャブ中だったけどレコード会社の社長のおかげで脱したとか、信憑性があるのかわからない話をいっぱい聞かされた。で、ある日のこと。沙也加の写真が持ち込まれた。破廉恥なものとはほど遠い。カラオケボックスで友達と笑顔で収まる1枚だった。普段どんな子？と訊《き》いた。

「すごくいい子です。お母さんが有名だからって威張ったりしたことは一度もありません。人の悪口を言ったこともないし、まわりのみんなに親切です」

親の躾か、本人が偉いのか。

もういっちょテレビでむかし、神田正輝がトーク番組に出たことを思い出す。「言ってくる人がいるんですよ。〝嫌な女で苦労しましたね〟みたいな。僕怒るんですよ。ほんとにいい人。休みの日とか、歌いながら料理を作ったりしてくれました」

想像してほしい、家に松田聖子がいる生活を。神田正輝は何度も強調した。「あんないい人はいない」。

松田聖子はいい人なのか。正直、どうでもいい。聞かれた人によって答えは違うし、単純に誰かをいい人／悪い人と分別することなどできやしない。むしろ凡庸な善悪観を超えたところに位置するのがスーパースターだ。

アンコールは「天使のウインク」「あなたに逢いたくて」でライブ終了（ここまできたら大瀧詠一作曲の「風立ちぬ」が聴きたかった！）。

聖子のライブを観てから2週間になる。まわりには「一生に一度は観るべき」と勧めている。ずっと脳内に焼き付いているため何度も回想リピートし、出た結果がハイこれ。

松田聖子とはミッキーマウスである。

永久不滅の超王道キャラクター。ファンタジーの世界を生きている。ミニーマウスではない。それはミッキーの添え物だ。誰かのアクセサリーなど、松田聖子であるために許される生き方ではない。

尾崎豊の回にも書いたけど、勝新、健さん、マイケル（彼もまたファンタジーの中に生きようとした）などは、世間から求められる偶像として生きたため、多くのものを得たものの、多くのものを失った。しかし聖子は何も失っていない。何も犠牲にしていない。桑田佳祐の名言、「ポップスターは悲しい」。けれど聖子に憐《あわ》れみは不要だ。聖子はアイドルにもアーティストにも妻にも母にもなれたのだから。聖子はこれからも聖子で居続ける。

そして我々は知っている。松田聖子は来年でデビュー40周年だが、これは折り返し地点に過ぎない。ファンタジーの世界に住む者は歳《とし》を取らない。だって聖子は「永遠のアイドル」だから。

追記：妻の三輪記子がテレビ番組で共演したテリー伊藤さんに松田聖子のライブを観たと話したところ、こう言われたという。

「聖子ってミッキーマウスだよね。でもね、聖子より先に〝私はミッキーマウス〟って名乗ったのはユーミンなんだよ！」

【2019年9月号】

vol.31

TM、チャゲアス、米米、バクチク、ブルーハーツ……80年代ライブ評

記憶を総動員してレポートします。少々の事実誤認、記憶違いは御容赦下さい。

TMネットワーク（1988年3月15日、代々木第一体育館）

実は私、TMがかなり好きな時代がありました。音楽の趣味はずいぶん変わったけど、87年の2枚のアルバム『Self Control』と『humansystem』は名盤と今も断言できる。アニメ『シティーハンター』に「Get Wild」が起用されてお茶の間の知名度が上がり、ボーカルの宇都宮隆のMCに対して金切り声で叫ぶ女性客が目立った。「この人たちTMをアイドルと勘違いしてないか？」と思ったが、小室哲哉はそれでも構わなかっただろう。音楽にさして詳しくない、ホワイト層を取り込もうとする彼の哲学はこの頃から常に一貫していた。

同じ年にTMは数多《あまた》のアーティストにとって到達点である東京ドームに進出するが、小室の野心を満たすには程遠かった。すでに彼のやりたいことがTMだけでは収まりきれず、後にTRF、華原朋美、globe、安室奈美恵、果てはH Jungle with t「WOW WAR TONIGHT〜時には起こせよムーヴメント」を仕掛けていくのは必然だった。

矢沢永吉、BOØWY、X、つんく♂、EXILEなど、天下を獲《と》ったミュージシャンは元不良少年で、ヤンキーを支持母体としたのに対して小室だけ違う。本人は後年、「坂本龍一が目標だった」といった主旨のことをインタビューで語っていたが、彼を駆り立てたものは何だったのか。大衆の認知度が高いわりに、いまだに謎が多い人だ。

パーソンズ（1989年3月14日?、川崎クラブチッタ）

サードアルバム『NO MORE TEARS』がリリースされた直後のライブだった。ボーカルのジルが「歌覚えてきた?」と聞くと、最前列の男が即座に「覚えてきたぞ!」と返すフレンドリーなやりとりがあった。ギターの本田毅が大きな口を開き、唾液を引くのがよく見えるほど前方に詰め寄った。そういえば僕の人生初のスタンディングライブだったかも。

パーソンズの強みはギター、ベース、ドラムが全員曲が書けることで、この時代の所謂《いわゆる》縦ノリに収まらない、メロディアスな楽曲が多かった。時代はバンドブームだったが泥臭いものが大半の中で、パーソンズは垢抜《あか》けていてきらびやかだった。

同じ頃ジルは「ロッキング・オン・ジャパン」の女性ミュージシャン初の表紙を飾った。そこで語られた2万字インタビューは前夫に刺されて新聞沙汰《ざた》になった過去があるという衝撃的な内容だった。現在はベースの渡辺貢と長らく夫婦関係にあり、お子さんもいると聞く。死ななくて良かったっすねえ。


チャゲ&飛鳥（1987年6月13日、代々木第一体育館）

タダ券をもらって行った。数千人収容できる2階席は「♪余計なものなどないよね〜」どころかガラガラ。10人いただろうか。チャゲがお笑いMC担当のため、自然と飛鳥が二の線に。いいコンビだなあと感じた。

フォーク時代の名曲「万里の河」やスマッシュヒット「モーニングムーン」など、空席を除けば超満員の会場は大いに盛り上がった。この数年後、ダブルミリオンの「SAY YES」「YAH YAH YAH」でチャゲアスの人気はピークに。しかし売れすぎたプレッシャーからドラッグに手を出してしまい、「シャブ&飛鳥」（©週刊文春）の異名を取ることになろうとは。売れても不幸。売れなくても絶望。人気稼業とはなんと過酷なのか。この度チャゲアスから飛鳥が脱退を宣言。WHAM! からジョージ・マイケルが抜けるようなもんですか？

（例えが古い）

米米CLUB（1987年4月15日、浦和市文化センター）

まだ消費税が導入される前、チケットは3000円ぽっきりだった。緞帳《どんちょう》が上がる前からカールスモーキー石井がひとりで出てきて、顔より大きなサイズの虫メガネを片手にお笑いMCで遠くの席の観客まで沸かす。奉行のコスプレで長袴《ながばかま》を蹴り上げながら「I・CAN・BE」のサビを「てやんでぇ〜」と歌うなど、ライブならではのバージョンも多かった。いちばん面白いのはなんと言っても石井のおしゃべり。丹波哲郎になりきってトークをしていると、メンバーのひとりが「丹波さんは霊界に詳しいようですが、行ったことはあるんですか?」と訊《き》く。石井は丹波の口マネで返す。「古くからあった店がこないだ行ったら更地になっていた。地上げがあったんだな。ハイ次の質問」としらを切る。丹波のモノマネだけで終わらず、必ず「批評」が入るところが、カールスモーキー石井＝米米クラブという文化祭ノリパフォーマンス集団の新しさだった。

だからだろうか、ドラマ「素顔のままで」に「君がいるだけで」が使われて300万枚に手が届こうかという空前の大ヒット、ユーミンとシングル、武道館8日間、そして映画に進出など、反体制ポジションから世の中のセンター側に回ると、石井の魅力は衰えていった。

結果それは解散から再結成後もパッとしない現在へと続いている。

一時期は「ロッキング・オン・ジャパン」の表紙の常連で、社長の渋谷陽一によるインタビュー連載もあった。渋谷は散々石井をヨイショしたが、石井に映画監督の才能がないと見限り、ロッキング・オンの媒体から米米が消えた。なんか似たようなケースが近年もあったなと思ったら松本人志でした。

あーでも米米、再ブレイクしてもおかしくない。彼らの席は誰も奪えない。

BUCK-TICK（1989年1月19日、武道館）

「JUST ONE MORE KISS」がビクターのラジカセのCMにメンバーで出演。ダイエースプレーで固めて直立させた金髪の超美形ボーカル櫻井敦司は、途轍《とてつ》もないインパクトがあった。「バクチク現象」なるキャッチ通り、ロックスターの階段を駆け上がっていき、あっという間に武道館に進出。女性客が圧倒的に多く、小学生の女の子も見かけた。

ステージの両サイドにエレベーターを設置し、メンバーが演奏しながら上がり下がり。観客は終始沸いていたが、僕はといえば女性ファンに当たり負けしていた。はっきりいって演奏も上手《うま》いとは思えなかった。

しかし去年WOWOWでライブを観たら知らない曲ばかりだけど演奏も含めて楽曲もすべ

て素晴らしく、見直してしまった。

思えば89年にギター今井のドラッグ逮捕があり、その後もただのひとりもメンバーチェンジがない鉄の絆ぶり。されど仲良しこよしでないことは、あの演奏スキルの格段アップでもよくわかりました。最近、櫻井敦司をＭステで見ましたが相変わらず美しかったです。


ザ・ブルーハーツ（１９８８年2月12日、武道館）

２ndアルバム『ＹＯＵＮＧ ＡＮＤ ＰＲＥＴＴＹ』がオリコン10位に入り、初の武道館。名曲「チェルノブイリ」初披露も、歌詞が聞き取れず、観客はぽかんとしていた。それ以外は大盛り上がり大会。「なんやこれおしっこちゃうど」とヒロトのＭＣ。飾り気のないセットに、バンドの４人が爆発する。観客もシングアロングで踊りまくり。

「ライブハウス武道館へようこそ」はＢＯＯＷＹ時代の氷室京介の名言だが、より具現化したのはこの日のブルーハーツではなかったか。

全身汗だくで完全燃焼した高校生の僕に教えてあげたい。

「ブルーハーツはこの後リズム隊がふたり宗教にハマって解散するよ。ヒロトとマーシーは次もバンドを組んで解散し、それからまたバンドをやり続けている。しかもパンクの精神を貫くためブルーハーツ時代の曲は一切やらない」

きっと僕はこう聞き返すだろう。「でも、相変わらずカッコいいんだろ?」

あーちょっと色々思い出してきてしまった。あの時代を振り返ると、いま見えてくるものがありますね。次回も同じ企画やっていいですか?

【2019年10月号】

vol.32

ゾンビ、ネバー・ダイ

「僕はこんなにもゾンビのことが好きだったのか……」

『ゾンビ―日本初公開復元版―』を観ながら、スクリーンに向かって呟《つぶや》いていた。ゾンビが一心不乱に（腐乱死体だけに）人体を引き裂く。生肉に齧《かじ》り付く。ゾンビに心が洗われたような気がした。

小学3年生のとき、初めてテレビでジョージ・A・ロメロ監督の『ゾンビ』（1978）を観た。理屈抜きで楽しかった。怖かった。面白かった。東京12チャンネルで放送した木曜洋画劇場を録画した友だちがいて、みんなで繰り返し観た。僕たちは両手を前に突き出し、「ゾぉ～ンビぃ～」と、ゾンビのマネをして遊んだ。

何が子供の心を捉えたのだろう？　ゾンビ役の俳優は顔を水色に塗っただけだし、特殊メイクもたいしたレベルではない。ＣＧ映像に慣れた今の観客からしたら、しょぼく見えるだろう。ゾンビに支配された終末観？　自分が今いる世界とはかけ離れた絶望的な無法社会の設定にゾクゾクしたのだろうか？

主人公たちはショッピングモールに立て籠《こ》もる。子供の頃はそれが消費社会、ひいては文明批評のメタファーだとか、当時の社会背景をテーマにしているなんて知るよしもなかった。公開当時、良識派を自称する人や権威とされた評論家は概《おおむ》ね、「残酷映画」「Ｂ級ホラー」と見下し、酷評したと聞く。頭からゾンビに喰われちまえばいい。ゾぉンビぃ〜と無邪気に楽しんでいた子供たちのほうがよっぽどゾンビのことを理解していた。

子供のうちからゾンビを観ることができて良かったと思う。危ないところだった。というのも１９７９年に日本で初上映されたとき、成人指定にならないよう、ゾンビが人間に噛み付くシーンには、ストップモーションや脱色処理が施された。それだけでなく、オープニングには「爆発した惑星からの不思議な光線により死者を甦《よみがえ》らせた」と、配給会社が作ったシーンと説明テロップまで、勝手に付け加えられた。今こんなことをやったら、「オリジナルを踏みにじ躙る改悪作」「作り手の意向に背いた冒瀆《ぼうとく》」と、ＳＮＳで炎上すること必至だろう。

しかし、この判断は結果的に正しかった。そうでなかったら、当時の小中学生はファーストゾンビのインパクトを体験することができなかった。その後『ゾンビ』の影響を受けて、映画のみならず様々なジャンルで活躍するクリエイターは誕生しなかったと言ってもいい。

ロメロ監督の最大の功績とは何か?『ゾンビ』以前にも、もともとはヴードゥー教の呪術により死者を生き返らせる映画はあった。だが、ゾンビのあののっそりとした歩き方や、襲われた者も死してまたゾンビになり、頭をふっ飛ばさないと再び死なないという非情なルールを編み出したのはロメロ監督だ。これは発明だった。

ロメロ監督は『ナイト・オブ・ザ・リビングデッド』(68)から、『サバイバル・オブ・ザ・デッド』(2009)まで、6本のゾンビ映画を世に送り出した(中学3年生のとき、池袋シネマサンシャインで観た『死霊のえじき』も印象深い)。そしてロメロが存命中のときから、世界中に数多のフォロワーを生んだ。

なんといってもマイケル・ジャクソンの『スリラー』(82)だ。ジョン・ランディスが手がけたMVを観たことがない人がいるだろうか。これによりゾンビは世界中に認知を広めた。発明した人と伝播《でんぱ》した人が別なのはどこの世界にもある。

とはいうものの、低予算でも作れるため、ロメロ監督の顔に泥を塗るような粗製乱造ゾンビが大半だった。代表的な成功例を挙げていくと、サム・ライミのデビュー作『死霊のはらわた』(81)。走るゾンビの嚆矢となった『バタリアン』(85)。シューティングゲームの『バイオハザード』（96）は何度も映画化された。後にアカデミー監督賞に輝くダニー・ボイルの『28日後…』（02）シリーズ。「アメリカ人が集まる場所はショッピングモール。じゃあイギリス人なら？」「パブでしょ！」という設定の『ショーン・オブ・ザ・デッド』（04）。花くまゆうさく先生原作の『東京ゾンビ』（原作は99年、映画は05年）だと舞台は闘技場。アメドラ『ウォーキング・デッド』（10〜）。トム・クルーズの『ワールド・ウォーZ』（13）。

オースティンの名著『高慢と偏見』をマッシュアップした『高慢と偏見とゾンビ』（16）なんてのもあった。これが内容、興行ともに成功していたら『ゾンビとともに去りぬ』、『罪と罰とゾンビ』、『老ゾンビと海』とかもできたのにちょっと惜しかった。

そして日本では『桐島、部活やめるってよ』（映画は12年。ただし10年の原作にゾンビは出てこない）、『アイアムアヒーロー』（原作は09年スタート、映画は16年）。『進撃の巨人』（原作は09年スタート、映画は15年）、『カメラを止めるな！』（17）、ゾンビになった少女7人がアイドルユニットを結成する『ゾンビランドサガ』（18）へと続いていく。

上記の作品はロメロ監督がいなかったら存在しなかった。みんなゾンビの子供たちだ。

ゾンビは巨大ジャンルに成長したが、自身が監督した作品以外がいくらヒットしようと、ロメロには1円も入らなかった。ロメロはたいした金持ちにならないまま、２０１７年に喜寿で亡くなった。

つまりこれはあれだ。何かに似てると思ったら、池袋の大勝軒だ。暖簾《のれん》分けした弟子たちが大勝軒の看板を掲げても、山岸さんはフランチャイズ料を請求することはなかった。代わりにつけ麺は全国に広まった。

ロメロはゾンビをホラー映画の一大ジャンルに築き上げたように、店主の山岸一雄さんもつけ麺を飲食業界の一ジャンルとして不動のものにした。そしてゾンビもつけ麺も、人類がある限り生き続ける。

それにしても――。人はどうしてこんなにゾンビのことが好きなのだろう。それはきっと、ゾンビは恐怖と羨望《せんぼう》の象徴で、「ゾンビに食われたくない。でも生きていくのは大変だし、いっそゾンビになったほうがいいかな」という裏腹な思いからではないか。そうですよね、ゾンビより怖いのは生きている人間のほうだ。人間は色々と欲深いが、ゾンビが欲しいのは生肉だけ。それ以外何も考えない。思い悩む必要もないし。

先日、『ゾンビ―日本初公開復元版―』をお祝いして主演のふたりが来日した。ケン・フォリーさんとゲイラン・ロスさん。本作でふたりは最後まで生き延びる。未見の人は想像してほしい。78年のアメリカ映画で、黒人と女性が最後まで生き延びるラストシーンを。そこに込められたメッセージを。

超満員の上映イベントで、ゲイラン・ロスさんはこう締め括った。「きっとロメロもここに来ています。みなさん拍手を送りましょう」

僕たちは長い時間手を叩いた。墓場からロメロ監督がゾンビになって甦ってくれることを祈って。

【2020年2月号】

大江千里と
渡辺美里って
結婚するんだ
とばかり
思ってた

*

Fin.

おわりに

「僕もそう思っていたんですよ！」

風呂上がり、妻の実家の布団で子どもと寝転がっていたら、いきなりパパ友から電話がかかってきた。いったい何があったのかと思ったら、こう宣《のたま》った。

「僕も同じこと考えてました！　大江千里と渡辺美里って結婚するんだろうなって！」

『散歩の達人』２０１８年８月号が発売されたばかりだった。僕の連載「失われた東京を求めて」で、渡辺美里さんのことを書いた回（１１５ページ）を読んで、興奮のあまり電話で感想を伝えてくれたのだった。

彼のお子さんはうちの子供と同い年。しかも名付け親が大江千里さん。その方がここまで言ってくれたのだ。「ほーら、僕ひとりの妄想じゃなかったでしょ」と太鼓判を押された気になりました。

彼は僕より6つ下。微妙に年代差があるけど、同じ東京で生まれ育ち、同じようなカルチャーを見て、聞いて、読んできた彼が同意してくれて嬉しかった。それでついついこの本のタイトルに決めてしまいました。

自分を形成した昭和の終わりと平成の始まりにあったイベントとカルチャーと、ささくれ立った心を掬《すく》い上げてくれたエモーショナルな音・本・映像、そして人々に感謝します。

なお、この本のおよそ5分の1を占める「引っ越し人生」は、かつて『散歩の達人』で連載されていた四方田犬彦先生の同タイトルへのオマージュです。

あ、大事なことを。『散歩の達人』の連載はこの本が出た現在も継続中です。最初に声をかけて下さった久保拓英さんと、引き続き連載を担当し、一冊にまとめてくれた町田紗季子さんに感謝の言葉を捧げます。あと、編集者だった頃にお世話になったデザイナーの井上則人さんと10年ぶりにお仕事ができて嬉しかったです。

最後に。僕の方はと言えば、京都から東京に戻っても、相変わらず有名人を見かけます。村上春樹も2回見た。だからファン目線のため敬称略ですってば。

あーあ、いろんなことに夢中になったり飽きたり、いつの間にやらおじさんになったり。

令和2年　春にして君を想う　樋口毅宏

月刊『散歩の達人』連載

「失われた東京を求めて」

掲載時タイトル一覧

vol.	タイトル	月号	掲載
1	映画マニアはなぜ潰れた映画館の話を嬉しそうに語るのか	2016. 7	○
2	武道館を愛していますが何か?	8	○
3	僕が東京で目撃した有名人たち	9	○
4	BOØWYとわたし	10	○
5	樋口毅宏の引っ越し人生①池袋	11	○
6	僕のサイン本見て下さい	12	写真のみ
7	東郷青児と『人間臨終図巻』とわたし	2017. 1	×
8	樋口毅宏の引っ越し人生②上板橋	2	○
9	京都にも進出して！ 愛すべき東京チェーン店たち	3	×
10	私は勉強ができない〜『人間交差点』と浪人生活〜	4	×
11	樋口毅宏の引っ越し人生③野方	5	○
12	村上春樹と握手したのは僕です(しかも高田馬場)	6	○
13	お墓参り	7	×
14	樋口毅宏の引っ越し人生④阿佐ケ谷〜茗荷谷	8	○
15	人生で大事な町はすべてアド街から教わった	9	○
16	私が子供だった頃(1980年)	10	×
17	私が少年だった頃(1985年〜86年)	11	×
18	樋口毅宏の引っ越し人生⑤三軒茶屋	12	○
19	久米宏さんのこと	2018. 1	○
20	佐野元春がどれだけ神だったか知ってますか	2	○
21	昭和プロレスの幻影	3	○
22	30年ぶりの大江千里	4	○
23	僕は時代の証人になれなかった	5	○
24	樋口毅宏の引っ越し人生⑥京都	6	○
25	尾崎豊が死んだ日	7	○
26	僕は渡辺美里と結婚したかった　80年代日本ポップミュージック考	8	○
27	エコーズについてマジメに話そう	9	○
28	中高生の頃死ぬほど聴いていたアルバムを30年ぶりに聴き直してみました	10	×
29	『タッチ』とは『あしたのジョー』である	11	○
30	男の子はみんなジャッキー・チェンになりたかった	12	○
31	町の良心	2019. 1	×
32	When I was young, I'd listen to the radio	2	○
33	桑田佳祐は、日本のポップミュージック史上最大の変態だ	3	○
34	テレビがやんちゃだった頃	4	○
35	鬼子母神スタンド・バイ・ミー	5	○
36	昭和最後の日、平成最初の日	6	○
37	中島みゆきに謝罪します	7	○
38	異説・長州力	8	○
39	松田聖子とは何か? 111回目の武道館コンサートを観て考えたこと	9	○
40	TM、チャゲアス、米米、バクチク、ブルーハーツ…… 80年代ライブ評	10	○
41	『ドラゴンボール』はどうして永遠の名作にならなかったのか	11	×
42	昭和50年代、小学生男子はみんな切手を集めていた	12	×
43	とんねるずが好きだったことを、どうしてみんな隠そうとするのか?	2020. 1	×
44	ゾンビ、ネバー・ダイ	2	○

ひぐち・たけひろ

Higuchi Takehiro

＊

1971年東京都豊島区雑司が谷生まれ。出版社に勤務したのち、取材で出会った白石一文氏の紹介により、2009年『さらば雑司ヶ谷』でデビュー。2011年、『民宿雪国』で第24回山本周五郎賞候補と第2回山田風太郎賞候補に。2012年、『テロルのすべて』で第14回大藪春彦賞候補、新書『タモリ論』はベストセラーとなる。ほかの著書に『二十五の瞳』『甘い復讐』『太陽がいっぱい』(プロレス小説)『アクシデントリポート』『東京パパ友ラブストーリー』など。

＊

大江《おおえ》千里《せんり》と渡辺《わたなべ》美里《みさと》って結婚《けっこん》するんだとばかり思《おも》ってた

2020年 3月 3日 第1刷発行

著　　者　樋口 毅宏
発 行 者　横山 裕司
発 行 所　株式会社 交通新聞社
〒101-0062
東京都千代田区神田駿河台2-3-11 NBF御茶ノ水ビル
電話　03-6831-6560（編集）
　　　03-6831-6622（販売）

印刷・製本　大日本印刷株式会社

装　　幀　井上則人
本文デザイン　坂根舞・入倉直幹（井上則人デザイン事務所）
イ ラ ス ト　庄司さやか
撮　　影　本野克佳　山出高士

ISBN978-4-330-03720-2